Billy Graham

NACER A UNA NUEVA VIDA

editorial caribe®

Billy Graham

NACER A UNA NUEVA VIDA

Departamento de Producción y Ventas:
9200 S. Dadeland Blvd., Suite 209
Miami, FL 33156, EE.UU.

Título del original en inglés:
HOW TO BE BORN AGAIN
©1977 by Billy Graham
Word Books, Publisher

Traductora: Rhode Flores de Ward

Segunda edición: 1982

ISBN: 0-89922-110-6

Printed in Colombia.
Impreso en Colombia.

Contenido

Billy Graham

NACER A UNA NUEVA VIDA

Prefacio

En la actualidad el "nacer de nuevo" constituye una gran noticia. La revista *Time* presenta un importante relato sobre "La Fe del Nuevo Nacimiento".[1] Los candidatos políticos prestan al tema la misma atención que a las más recientes estadísticas económicas o a la crisis de energía. Un antiguo dirigente de las Panteras Negras y hombre radical de los años 60 regresa del exilio y anuncia: "En mi vida se ha operado un cambio de 180 grados, he nacido de nuevo". Un hombre, que se hallaba profundamente implicado en uno de los más notorios escándalos políticos de nuestros días, escribe un libro, que se convierte en un "best seller", explicando el cambio en su vida como resultado de haber nacido de nuevo. Una encuesta llega a la sorprendente conclusión de que "más de una tercera parte de las personas que son lo bastante mayor como para votar han experimentado conversiones religiosas "del nuevo nacimiento".[2]

¡Nacer de nuevo!

¿Es eso posible? ¿Puede la vida ser transformada?

¿De qué se trata? ¿Qué significa?

¿Es legítimo? ¿Durará?

¿Cómo "nace de nuevo" la persona?

La expresión "nacer de nuevo" no es nueva, ni ha sido inventada por los periodistas de nuestros días con el fin de describir las recientes tendencias religiosas. La expresión "nacer de nuevo" es de hace casi dos mil años. Una noche oscura, en la antigua ciudad de Jerusalén, Jesús se dirigió a uno de los más conocidos intelectuales de su tiempo y le dijo: "De cierto, de cierto te digo, que el que no naciere de nuevo, no puede ver el reino de Dios" (Juan 3:3). Con esas palabras Jesús nos mostró tanto la necesidad como la posibilidad del nuevo nacimiento; de la transformación espiritual. Desde entonces millones de personas, a través de los tiempos, han dado testimonio de la realidad y del poder de Dios en sus vidas por medio del nuevo nacimiento.

Un joven oficial del Cuerpo de Infantería de Marina, veterano de la Guerra de Vietnam, describió públicamente la batalla nocturna en el Vietnam cuando él y sus tropas se encontraron bajo el fuego enemigo. Solamente unos pocos fueron rescatados con vida por un helicóptero. Las dieciséis operaciones quirúrgicas a las que tuvo que someterse le ayudaron a restablecer su fortaleza física, pero ahora él hablaba del nuevo nacimiento espiritual que había experimentado después de haber regresado al hogar. Dijo: "Mostramos fidelidad a la bandera de nuestro país, pero a menos que hayamos nacido de nuevo por medio de la fe en Cristo, nuestra religión de nada nos sirve".

Este teniente había nacido de nuevo.

Pienso en la maravillosa cristiana holandesa, Corrie ten Boom, que en la actualidad pasa de los ochenta años. Su historia de valor en medio de la persecución nazi ha inspirado a millones. Ella cuenta acerca de una experiencia por la que pasó cuando solamente tenía cinco años en que dijo: "Quiero que Jesús esté en mi corazón", y contó cómo su madre tomó su manita entre las suyas y oró con ella. "Fue tan sencillo, pero Jesucristo dijo que todos nosotros debemos de volvernos como niños, sin importar nuestra edad, ni nuestra posición social, ni nuestra formación intelectual".[3]

Corrie ten Boom había nacido de nuevo a la edad de cinco años.

Muchísimas personas me han contado, tanto personalmente como por carta, cómo nacieron de nuevo y el modo en que sus vidas cambiaron. Un hombre de Milwaukee me escribió: "Esta noche mi esposa y yo estábamos a punto de acabar con nuestro matrimonio, pues sentíamos que no podíamos seguir juntos bajo las condiciones en que vivíamos. Los dos admitimos que pensábamos que ya no nos amábamos; yo no me gozaba con su compañía ni apreciaba la vida en nuestro hogar. Nos insultábamos el uno al otro, sin poder ponernos de acuerdo, ni podíamos entendernos en cuanto al modo de mejorar nuestro matrimonio, aunque nos lo propusiésemos.

"Creo que fue la voluntad de Dios que yo encendiese la televisión y escuchase su mensaje acerca del nuevo nacimiento espiritual. Mi esposa lo vio conmigo y los dos comenzamos a indagar en nuestros corazones y sentimos una nueva vida en nuestro interior. Yo oré, pidiendo que Dios entrase en mi corazón, haciendo de mí un hombre nuevo y ayudándome a comenzar una nueva vida y ahora nuestros problemas parecen de poca monta".

Tanto este hombre como su esposa nacieron de nuevo.

¿Qué significa nacer de nuevo? No se trata solamente de una labor de reconstrucción realizada de algún modo por nosotros, en nosotros mismos. En la actualidad oímos mucho sobre reprocesamiento, reconstrucción y reformas. Renovamos nuestras casas añadiendo más habitaciones, echamos abajo antiguos edificios y construimos otros nuevos en nuestras ciudades y a esto lo llamamos renovación urbana. Cada año millones y millones de dólares van a parar a los gimnasios, a los salones de belleza y a exóticos cosméticos, y todos esos dólares los gastan aquellas personas que esperan rehacer su rostro o su cuerpo.

Del mismo modo, hay personas que procuran, con frenesí, toda clase de curas prometedoras para la renovación de su vida interior. Algunas personas buscan la renovación en la oficina del siquiatra, otras buscan la renovación espiritual en las más exóticas religiones orientales o procesos de meditación interna. También los hay que buscan la paz interior y la renovación en las drogas o el alcohol. Sin embargo, sea cual fuere el camino, a la postre se encuentran en un callejón sin salida. ¿Por qué? Sencillamente porque al hombre no le es posible renovarse a sí mismo. Dios nos creó y solamente El puede crearnos de nuevo, solamente El puede darnos el nuevo nacimiento que deseamos y necesitamos tan desesperadamente.

Yo creo que éste es uno de los temas más importantes en el mundo entero. Los gobiernos pueden ser elegidos o derrocados, la maquinaria militar puede avanzar o retroceder, el hombre puede explorar el espacio o las profundidades del océano. Todos estos acontecimientos forman parte del gran plan para los humanos en este planeta.

Pero el tema central del universo es el propósito y el destino de cada ser humano. A los ojos de Dios cada persona es importante por eso es que Dios no se contenta con permanecer de brazos cruzados (por así decirlo) sencillamente contemplando cómo la raza humana se revuelca en la miseria y en la destrucción. ¡La noticia más importante del universo es que podemos nacer de nuevo! "Porque de tal manera amó Dios al mundo, que ha dado a su hijo unigénito, para que todo aquel que en el cree, no se pierda mas tenga vida eterna" (Juan 3:16).

Este nuevo nacimiento acontece en una gran variedad de formas. Puede dar la impresión de que sucede durante un período de tiempo o en un momento ya que los senderos que las personas siguen para llegar al momento de esa decisión pueden ser directos o indirectos. Pero sea cual fuere el camino, siempre hallamos a Cristo al final para darnos la bienvenida. Y ese encuentro con Cristo, ese nuevo nacimiento, es el comienzo de un camino totalmente nuevo en la vida bajo su control. Las vidas pueden cambiar de una manera sorprendente, los matrimonios pueden mejorar de una manera emocionante y las sociedades pueden ser influidas para bien; todo ello por la sencilla y vasta oleada de personas que saben lo que significa nacer de nuevo.

Puede ser que dentro de ti sientas una necesidad sin nombre que no puedes describir y tal vez hayas estado tratando, de una manera consciente, durante toda tu vida, de llenar un vacío en tu corazón y de hallar un propósito a tu vida. Tal vez en el exterior hayas tenido mucho éxito en la vida, pero sabes que eso no te ha deparado la paz ni la verdadera felicidad. Quizás tu vida sea una cadena de sufrimientos y de sueños destruidos o tal vez solamente sientas curiosidad.

Procedas de donde procedas, pido a Dios que él utilice este pequeño libro para darte esperanza, para mostrarte que también tú puedes nacer de nuevo.

Nacer a una nueva vida no es para los teólogos o los filósofos. Existen muchas obras de teología que indagan el significado del nuevo nacimiento (o "regeneración", como frecuentemente lo llaman los teólogos). Sé que entre los teólogos han existido diferentes énfasis en lo que se refiere al nuevo nacimiento, algunos de ellos han hecho hincapié en la importancia que tiene lo que Dios ha hecho para traernos a la fe; otros han enfatizado la importancia de la búsqueda del hombre en cuanto a la fe; otros han pensado que el nuevo nacimiento era un suceso único en el tiempo, mientras que otros utilizan la expresión para hablar acerca de todo lo que Dios quiere hacer en nuestras vidas. Finalmente existe un misterio en cuanto al nuevo nacimiento, ya que no podemos comprender todo lo concerniente a él debido a que nuestras mentes son finitas.

Por muy dispares que sean las opiniones de los teólogos tocante a detalles de la doctrina, la verdad central del nuevo nacimiento es clara: el hombre apartado de Dios está espiritualmente muerto, necesita nacer de nuevo. Este nuevo nacimiento solamente puede realizarse por la gracia de Dios mediante la fe en Cristo.

Mi principal interés ha sido hacer de éste un libro práctico. Aunque no nos sea posible decir todo lo que hay que decir respecto al nuevo nacimiento, he querido decir todo lo necesario para ayudar a aquellas personas que verdaderamente quieren conocer a Dios. Quiero ayudarlas para que pasen por esta experiencia que habrá de cambiar sus vidas. Quiero que esas personas, que tú, nazcas de nuevo porque creo que Dios quiere que tú nazcas de nuevo.

Yo estaba ya escribiendo este libro cuando la expresión "nacer de nuevo" saltó a la palestra. He sentido la bendición de Dios al continuar escribiendo y también he sentido que tal vez Dios me haya guiado a escribir este libro exactamente en el momento en que millones de personas se preguntan lo que es el nacer de nuevo.

Entregué mi manuscrito original a mis amigos Paul Fromer y Carole Carlson y les pedí su ayuda. A continuación, con la ayuda de mi esposa y de Cliff y Billie Barrows, lo terminamos en un pequeño piso que me facilitaron unos queridos amigos mejicanos mientras me recuperaba de una enfermedad.

Por lo tanto, quiero expresar mi más profunda gratitud a Bill y a Vivian Mead de Dallas, Tejas, y a nuestros maravillosos amigos, la familia Servitje en México por hacer posible este período de trabajo y recuperación. A Paul Fromer, catedrático en Wheaton College, y a mi secretaria Stephanie Wills, que pasó a máquina una y otra vez el manuscrito. Mi gratitud también a mi esposa Ruth por darme ánimos, de una manera tan maravillosa, y por su ayuda, por los comentarios que hizo el doctor John Akers y la señora Millie Dienert, pero de un modo muy especial mi gratitud a Carole Carlson por la magnífica labor que realizó ayudándome a simplificar lo que pudiese haber resultado demasiado profundo y teológico para aquellas personas por todo el mundo que habrán de leer este libro, experimentando "el nuevo nacimiento".

Billy Graham

Montreat, North Carolina
1 de mayo de 1977

I.
El problema del hombre

Capítulo uno
¿Por qué estoy tan vacío?

CUANDO LA ASTRONAVE VIKING aterrizó en Marte, el mundo exclamó: " ¡Increíble! ¡Magnífico!" Se había penetrado el misterioso planeta rojo. Un robot, ingeniosamente diseñado, que fue el resultado de mil millones de dólares y las mentes investigadoras de cientos de científicos, realizó la empresa con la que el hombre había venido soñando durante generaciones.

El explorar los grandes misterios del universo, el tratar de predecir los fenómenos de la naturaleza, el intentar predecir una tendencia en la sociedad o en la política, son todas ellas inquietudes actuales.

En el mundo de los negocios, por ejemplo, los hombres buscan diferentes maneras de mejorar su eficacia. Sobre las paredes de las oficinas y en los tablones de anuncios de las organizaciones de ventas podemos ver consignas como: "Planee por adelantado" o "Planee su trabajo y lleve a cabo su plan". Las corporaciones requieren los servicios de empresas, y pagan fuertes cantidades, con el fin de determinar cómo mejorar sus proyectos. Debido a que los negocios, el mundo de la política y la economía cambian con tanta rapidez, la dirección de todo un país podría cambiar en unos pocos días. Compañías llamadas "fábricas pensantes" proyectan los conceptos con una década o más de adelanto con el propósito de llevar la delantera en estos tiempos cambiantes.

En nuestra vida diaria usualmente confeccionamos un calendario, donde intentamos anotar los compromisos, citas y el horario de cada día. Si no se hiciesen planes, los niños no irían nunca al dentista, ni las madres asistirían a las reuniones de la comunidad y tanto los negocios como los sindicatos se hundirían. Siempre estamos buscando la manera de ordenar nuestras vidas a fin de simplificar la vida diaria.

¿Pero qué diremos de las decisiones de mayor importancia en la vida y en la muerte? ¿Hacemos planes? ¿Necesitamos buscar respuesta a las profundas interrogantes morales y espirituales a fin de que nuestra vida sea más ordenada? El hombre siempre lo ha creído así; por eso es que tenemos a los filósofos, a los sicólogos y a los teólogos. Sin embargo, hoy en día la mayor parte de aquellos que buscan la sabiduría y la satisfacción no tienen en cuenta a Dios.

Yo conocí a un joven y brillante abogado, que no parecía tener necesidad de Dios durante sus intensos años de concentración como estudiante. Más adelante, comenzó a escribir un libro sobre una persona famosa y mientras se hallaba ocupado en esta labor mantuvimos una conversación durante la cual me di cuenta de que se hallaba en busca de algo espiritual para su vida. Esperaba encontrar en alguna parte de la vida del hombre que era objeto de su libro, la satisfacción espiritual que él mismo deseaba. El sabía que esa persona creía en Dios y que había aceptado a Cristo en su corazón. También parecía consolarse sabiendo que aquel sobre el cual escribía tenía dudas de vez en cuando.

Ese joven, que ha estado buscando durante tanto tiempo, ahora se ha interesado en las cosas espirituales. En mis primeros contactos con él pensé que era un agnóstico, interesado solamente en adquirir conocimientos en la universidad y después en la escuela de leyes, pero ahora sospecho que durante toda su adolescencia y entre los veinte y los treinta años estuvo buscando a Dios sin saberlo.

El hombre que se hace a sí mismo

Se nos enseña a ser independientes, a lograr las cosas por nuestros propios recursos. Al mirar a una persona puede que digamos: " ¡He ahí uno que lo ha logrado!" y le admiramos y respetamos la habilidad con que ha "sabido salir adelante". Incluso hemos tenido un conocido anuncio en la televisión que dice: "Por favor, mamá, prefiero hacerlo yo mismo". No obstante dentro de cada uno de nosotros hay una profunda frustración: "Debiera de ser mejor, creo que fui creado para algo más; en la vida debe de haber algo más que esto, ¿por qué estoy tan vacío?"

Semejantes sentimientos, con frecuencia subconscientes, nos hacen luchar por algo desconocido, por una meta que no tiene nombre. Podemos intentar eludir esta búsqueda, podemos desviarnos hacia el mundo de la fantasía e incluso retornar a niveles inferiores de vida y tratar de huir. Tal vez nos llevemos las manos a la cabeza, disgustados, y digamos: " ¿De qué sirve? Estoy perfectamente trabajando y no metiéndome en líos", pero en lo profundo del ser existe una coacción que, inevitablemente, nos conduce una vez más a la búsqueda.

Este es uno de los motivos por el que los Estados Unidos se quedaron maravillados con *Roots* (Raíces), el producto de la búsqueda de identidad de Alex Haley, que duró diez años. Mi amigo Rod McKuen era un hombre que se sentía sin raíces y con un extraño "vacío" en su corazón cuando comenzó a buscar a su aunténtico padre. El libro más antiguo que posee la raza humana es *Job* y en cierta ocasión Job exclamó: " ¡Quién me diera el saber dónde hallar a Dios!" (Job 23:3).

Esta búsqueda trasciende raza, edad, posición social, sexo y nivel cultural. Una de dos, o el hombre no comenzó en ninguna parte y busca un lugar a donde ir o comenzó en alguna parte y perdió el camino. En ambos casos, está buscando. Ninguno de nosotros encontrará jamás la "satisfacción total" hasta que nos demos cuenta de que nuestras raíces se hallan en la eternidad.

Un afamado científico en una universidad del Este solicitó verme. Un tanto sorprendido, me reuní con él en una tranquila habitación de la unión estudiantil. De repente este hombre brillante, admirado por muchos y respetado como una figura de primera línea en su especialidad, perdió el control. Cuando recobró la compostura me dijo: "Estoy a punto de poner fin a mi vida. . . Mi hogar es un desastre, soy un alcohólico, aunque nadie lo sabe y mis hijos no me respetan. La verdad es que nunca he tenido un principio que me sirviese de norma en mi vida a excepción de ser reconocido en mi campo de la física. Me he dado cuenta que realmente no conozco los auténticos valores de la vida. Lo he visto a usted en la televisión y a pesar de que no comprendo todo lo que usted intenta comunicar, estoy convencido de que usted conoce el verdadero significado de la vida".

Dudó un momento y estoy seguro de que lo que dijo a continuación este hombre célebre, hijo de sus propias obras, no le resultó fácil: "He venido a pedirle ayuda". Era un grito desesperado.

De todas las culturas y de todos los países, desde los que no saben leer hasta los ganadores del Premio Nobel, existe un fenómeno muy antiguo, el misterio del *anthropos*, "el que mira hacia arriba", el que busca e indaga el significado más profundo y a veces escondido de la vida.

En los aeropuertos, en los aviones, en las salas de los hoteles por todo el mundo, las personas han venido a mí con preguntas muy serias acerca de las relaciones familiares que han quedado destruidas, la mala salud o las catástrofes económicas, pero con mayor frecuencia revelan un alma vacía. En uno de mis vuelos un hombre me abrió su corazón y me relató la historia de su vida. Era un relato de sueños destrozados, de esperanzas frustradas y de vacío. Antes de separarnos dijo "sí" a Cristo y en su rostro se vio reflejado el más tremendo alivio al decir, casi en un susurro: "Gracias".

Cuando aterrizamos, lo ví abrazar a su esposa y hablar emocionado al mismo tiempo. No sé cuál sería el tema de su conversación, pero a juzgar por la expresión de su rostro no cabe duda de que le estaba contando a su esposa su nueva relación con el Señor. Yo solamente me puedo imaginar lo sorprendida que debió de quedarse ante el cambio, porque él me había hablado acerca de su mal genio y su infidelidad, que había casi destruido su matrimonio.

Yo no sé si su matrimonio mejoró, porque no lo volví a ver más, pero no cabe duda de que cambió de dirección durante ese viaje en avión.

Fama y fortuna

Una de las más conocidas personalidades del espectáculo me pidió que fuese a su camerino después del espectáculo en el que yo había hecho acto de presencia. Me hizo pasar y me dijo: "Yo hago reír a la gente. . . pero por dentro me siento fatal. He estado casado dos veces y los dos matrimonios fracasaron y yo tengo la mayor parte de la culpa, me imagino, pero no creo que pudiese intentar salir adelante en un tercer matrimonio a menos de que pudiese hallar algo que me llenase, cosa que no sé cómo lograr".

Se calló y me miró. "¿Cree usted que lo que yo estoy realmente buscando se resume en la palabra *Dios*?"

Toda su fama y todo su dinero no habían servido para satisfacer lo que buscaba su corazón.

Tom Phillips fue un hombre que habría de tener una gran influencia en la vida de Charles Colson, famoso por el Watergate. Colson escribe en su libro *Nací de nuevo* que Phillips dijo: " 'Quizás resulte difícil de comprender. . . . pero yo no parecía tener nada que importase, todo era superficial. Todas las cosas materiales en la vida no tienen sentido si el hombre no descubre lo que hay debajo de ellas. . .

" 'Una noche estaba en Nueva York en viaje de negocios y me enteré de que Billy Graham iba a celebrar una campaña en el Madison Square Garden', continuó Tom. 'Fui, supongo que guiado por la curiosidad, esperando tal vez hallar algunas respuestas. Lo que Graham dijo esa noche hizo que todo encajara y me di cuenta de lo que faltaba, la relación personal con Jesucristo, el hecho de que yo nunca la había pedido que entrara en mi vida ni se la había entregado. Así que lo hice esa misma noche durante la Cruzada' ".[1]

Una vez más un hombre se había visto obligado a examinar su alma.

En cierta ocasión me hallaba en otro país, invitado a comer con un hombre que, desde el punto de vista material, tenía todo cuanto este mundo puede ofrecer. Es más, me dijo que podía comprar cualquier cosa que quisiese. Había viajado extensamente a causa de los negocios y todo cuanto tocaba parecía convertirse en oro. Era un dirigente en su ambiente social y, según me dijo con sus propias palabras: "Soy un viejo desdichado, condenado a la muerte. Si existe un infierno, yo voy a ir de cabeza".

Miré a través de las preciosas y antiguas ventanas, contemplando cómo caía la nieve suavemente sobre el césped bien cuidado y pensé en otros, como él, que me habían expresado pensamientos similares sobre lo vacío de la vida sin Dios, la falta de significado de la vida del hombre que tiene todo, pero nada por lo cual vivir. Con un sobresalto volví la atención sobre él al oírle decir: "Le he pedido que viniese usted aquí hoy para que me lea la Biblia y me hable acerca de Dios. ¿Cree usted que es demasiado tarde? Mi padre y mi madre eran fieles creyentes en Dios y con frecuencia oraron por mí".

Entonces me vino a la mente el versículo de Mateo 4:4: "No sólo de pan vivirá el hombre", y Lucas 12:15 nos dice: "la vida del hombre no consiste en la abundancia de los bienes que posee".

Cada día leemos acerca de los ricos, de los famosos, de los que tienen talento, que se sienten desilusionados. Muchos de ellos se están volviendo al ocultismo o a la meditación trascendental o a las religiones orientales. Algunos se están volviendo al crimen. Aquellas preguntas a las que creían haber hallado la respuesta están aún pendientes: ¿Qué es el hombre? ¿De dónde vino? ¿Cuál es su propósito en este planeta? ¿A dónde se dirige? ¿Hay un Dios que se preocupe? Si efectivamente lo hay, ¿se ha revelado al hombre?

¿Está buscando el intelectual?

Los hombres y mujeres que están considerados como parte de la comunidad intelectual están buscando el mismo significado, el mismo sentido de realización, pero muchos de ellos se ven impedidos por su propio sentido del orgullo. Les gustaría salvarse a sí mismos, porque el orgullo alimenta la buena opinión de sí mismos, haciéndonos creer que podemos arreglárnoslas por nosotros mismos, sin Dios.

El renombrado escritor y filósofo inglés, Bertrand Russell, escribió prolíficamente acerca de la ética, la moral y la sociedad humana, intentando demostrar lo que él creía que eran errores en la Biblia. Cuando llegó al tema del orgullo del intelectual, Russell escribió: "A todos los hombres les gustaría ser Dios, si fuera posible, y a algunos les resulta difícil admitir la imposibilidad".[2]

Desde el comienzo de los tiempos, el hombre ha dicho, al igual que Lucifer: "Seré semejante al Altísimo" (Isaías 14:14).

La búsqueda continúa. Es preciso llenar el corazón, y la mayoría de los intelectuales llegan a un punto en sus vidas en que los conocimientos académicos, la comunidad científica, los negocios o las actividades políticas ya no son suficientes.

Un brillante analista de la escena cultural escribió: "El hombre, siendo humano, sin embargo, trata una y otra vez de evadir la lógica de su propia posición y busca su auténtico yo, su humanidad, su libertad, aunque solamente pueda hacerlo por medio de la mera irracionalidad o un misticismo completamente infundado".[3]

Vemos los resultados del hombre que busca su auténtico yo en las experiencias místicas, en las nuevas sectas y en lo que se ha dado en llamar la Nueva Conciencia. "En la actualidad el hombre quiere experimentar a Dios y no es la fe ni el conocimiento lo que constituye la palabra clave, sino la experiencia".[4]

Al ir en aumento su deseo de esta experiencia, las falsas filosofías y los falsos dioses se vuelven aceptables. Un intelectual europeo dice: "Durante siglos ha existido una búsqueda de aquel ideal que los griegos llamaran ataraxia, la idea de la quietud, del contentamiento interior, por encima de la inquietud, las frustraciones y las tensiones de la vida normal. Muchos buscaron esto por medio de la filosofía y de la religión, pero siempre ha habido las búsquedas paralelas para llegar por caminos más cortos".[5]

Escribe un erudito norteamericano: "Al aumentar en intensidad la búsqueda del hombre en cuanto a nuevas experiencias, nuevos dirigentes y nuevas esperanzas, existirá ese continuo deseo de hallar un camino diferente en lo que parece ser un futuro oscuro".[6]

Los hombres desean la paz con desesperación, pero la paz de Dios no consiste en una ausencia o tensión o inquietudes, sino una paz en medio de la tensión y de las inquietudes.

En Calcuta, India, yo quería visitar a una gran mujer de Dios que el mundo conoce por la Madre Teresa. Llegué a primera hora de la tarde y las hermanas no deseaban molestar a la Madre Teresa porque ese día habían fallecido en sus brazos tres hombres y ella acababa de retirarse a su habitación a descansar un rato. Sin embargo, el dignatario que me llevó hasta allí envió una nota a la Madre Teresa, y en unos pocos minutos ésta apareció. De inmediato tuve la impresión de que esta santa mujer era una persona que vivía en paz en medio de las inquietudes. Es la paz que sobrepasa todo entendimiento y también todos los malentendidos.

Cuán desesperadamente necesitamos esa clase de paz durante una generación desgarrada por las inquietudes internas y la falta de esperanza. Los periódicos son un clásico ejemplo de una actitud negativa. ¡El terrorismo, los bombardeos, los suicidios, los divorcios, el pesimismo general son las enfermedades del día porque, en su orgullo, el hombre se niega a dirigirse a Dios!

Sin embargo, el intelectual honrado, el que tiene una mente abierta junto con un corazón que busca, es el que hace el emocionante descubrimiento. El doctor Rookmaaker dice: "No podemos comprender a Dios por completo, ni conocer por completo su obra, pero no se nos pide que aceptemos con una fe ciega. Todo lo contrario, se nos pide que miremos a nuestro alrededor y sepamos que las cosas que nos dice por medio de su Hijo, de sus apóstoles y de sus profetas son ciertas, reales y de este mundo, el cosmos que El hizo.

"Por lo tanto, nuestra fe no es algo que nos 'sacamos de la manga', algo irracional. La fe no consiste en sacrificar el intelecto si creemos el relato bíblico de la historia".[7]

¿Quien necesita ayuda?

En la avalancha de películas sobre catástrofes, en el año

1975, hubo una película llamada *Terremoto*. Cuando el devastador terremoto se hizo sentir, dos de los protagonistas de la película hallaron refugio bajo un coche resistente, cubriéndose así de los escombros que volaban y del terror desencadenado por la naturaleza. En ese momento no razonaron acerca de lo acontecido, ni analizaron lo que iban a hacer, lo que sí sabían es que necesitaban ayuda y se pusieron a cubierto.

La persona que se encuentra en la más hondo de las circunstancias de la vida necesita ayuda de inmediato y no necesita analizar y examinar cómo llega esa ayuda, sólo sabe que necesita que la salven.

Cuando se trata de los desastres causados por nuestros terremotos interiores algunos intelectuales quieren saber cuál es la fuente de donde procede la ayuda y todos los detalles concernientes a esa fuente. El intelectual posee una serie de creencias suficientes a sí mismas y cree que su sistema está completo. Otros intelectuales aceptan a ciegas los engaños que pueden ir envueltos en un lenguaje y distribución de pensamientos tan complejos que el negar sus premisas sonaría a ignorancia. A algunos les resulta muy difícil decir: "En realidad eso no tiene sentido y yo no comprendo lo que se dice".

Sin embargo, muchos buscadores intelectuales han abierto sus mentes y sus corazones a la verdad sobre las Buenas Nuevas y han encontrado una nueva vida.

Una joven hindú, que cursaba estudios superiores en medicina nuclear en la universidad de California en Los Angeles, acababa de comenzar su segundo año de estudios cuando vino a una Cruzada. Al final del culto aceptó a Cristo como su Salvador y nació de nuevo.

Un brillante cirujano que vino a una Cruzada me oyó decir que si el ganar el cielo dependía de buenas obras yo no esperaba poder llegar al cielo. Este cirujano había dedicado su vida a ayudar a la humanidad, pero en ese momento se dio cuenta de que todos sus conocimientos, sus años de duro trabajo y su devoción, las noches que había pasado sin dormir junto a los pacientes y su amor por la profesión no servirían para que se ganase un puesto junto a Dios. Este hombre, que había presenciado muchos nacimientos, sabía lo que significaba nacer dos veces.

Muchas personas piensan que Cristo hablaba solamente con los arruinados o con los niños, pero uno de sus más importantes encuentros durante su ministerio lo tuvo con un intelectual. Este hombre, cuyo nombre era Nicodemo, poseía un sistema filosófico y teológico de lo más rígido, y era un buen plan, con Dios como centro. Sin embargo, este "intelectual" estructuró su sistema filosófico-religioso sin el nuevo nacimiento, ¡que se encuentra sólo en Jesucristo!

¿Qué le dijo Jesús, el carpintero de Nazaret, a este hombre tan culto? Le dijo, con palabras similares a estas: "Nicodemo, lamento no poder explicártelo, has visto algo que te inquieta y que no encaja en tu sistema. Tú admites que yo soy algo más que un hombre ordinario, que actúo con el poder de Dios. Puede que esto no tenga sentido para ti, pero no puedo explicártelo porque lo que tú supones no permite un punto de partida. Nicodemo, para ti no resulta 'lógico'. Nada en tu forma de pensar lo permite y tú no puedes ver con una visión espiritual hasta que hayas nacido espiritualmente, por lo tanto sencillamente tendrás que nacer de nuevo".

Nicodemo se quedó confundido. "¿Pero cómo es posible que un hombre ya grande vuelva a nacer?" le contestó Nicodemo. "¿Acaso puede entrar otra vez dentro de su madre, para volver a nacer?" (Juan 3:4 VP).

El intelectual pregunta: "¿Cómo puede el hombre nacer dos veces?"

Si alguien ha de encontrar la respuesta a su búsqueda debe rechazar gran parte de su antiguo sistema y lanzarse de lleno al nuevo, y entonces verá la posibilidad de lo que creía imposible.

"Ese es también el motivo por el que esta fe única e 'imposible', con un Dios que es, con una Encarnación que es terrenal e histórica, con una salvación que se halla en contradicción con la naturaleza humana, con una Resurrección que ha barrido la finalidad de la muerte, puede suplir una alternativa al polvo, que se zarandea y se asienta, de la muerte y, por medio del nuevo nacimiento, abrir el camino a nueva vida".[8]

En las montañas, cerca de nuestra casa, se perdió una pequeña avioneta con cuatro personas a bordo. Al mismo tiempo una chica de quince años se perdió aproximadamente en el mismo sector en los montes Great Smoky. Fue un tiempo triste para nuestra pequeña comunidad porque los cuatro perecieron y la muchacha no apareció.

Al hablar mi esposa con un hombre que nos ayuda, acerca de los trágicos sucesos de esta gente, él contó una historia basada en su propia experiencia. Este hombre había nacido y se había criado en estas montañas, según dijo, y pensaba que no se podría perder nunca. Cuando era niño las montañas eran el lugar donde él jugaba y ya de adulto cazaba en ellas. Sin embargo, un día se encontró andando a tientas en el monte y trepando sobre las rocas, desesperadamente confuso. Anduvo de un lado a otro volviendo sobre sus pasos y de repente, se encontró, con gran alivio, con un anciano en una cabaña en la montaña. Le dijo a Ruth que no olvidaría nunca el consejo que le dio el anciano: "Cuando te encuentres perdido en las montañas, no vayas nunca hacia abajo, ve siempre hacia arriba. Al llegar a lo alto del cerro podrás orientarte y encontrar de nuevo el camino".

Nosotros podemos perdernos en la montaña de la vida y nos quedan dos caminos: podemos ir hacia abajo, mezclándonos con las drogas, la depresión, el vacío y la confución, o podemos ir hacia arriba. La dirección que tomemos determinará si nos encontramos o no.

En esta edad de la indagación lo más importante es nuestra búsqueda personal, el que hallemos las respuestas tocantes a la vida y acerca de Dios. Esa búsqueda nos encauzará en la única dirección auténtica, solamente por un camino, y podremos realizar ese viaje cuando hayamos nacido de nuevo.

Capítulo dos
¿Puede alguien decirme dónde hallar a Dios?

UNA NOCHE un borracho buscaba algo en la acera, bajo la luz de una farola. Buscó a tientas por el suelo, palpando el cemento y agarrándose de vez en cuando a la farola para que le sirviese de apoyo. Un viandante le preguntó que qué buscaba. "He perdido mi billetera", le contestó el borracho. El peatón se ofreció a ayudarle a buscarla, pero sin éxito.

"¿Está usted seguro de haberla perdido aquí?" le preguntó al borracho.

"¡Claro que no!" le contestó el borracho, "fue media cuadra más abajo".

"Entonces ¿por qué no la busca allí?"

"Porque", le contestó el borracho con una lógica aplastante, "allá no hay farolas".

El buscar es importante, pero de nada nos sirve si no lo hacemos en los lugares indicados.

El gobernador de uno de nuestros estados nos invitó a su casa y después de la comida pidió hablar conmigo en privado. Entramos en su estudio y me di cuenta que luchaba con sus emociones, pero finalmente dijo: "He llegado al final del camino, necesito a Dios. ¿Puede usted decirme cómo hallarlo?"

Un joven, endurecido en las Boinas Verdes, que era tan fuerte que había asegurado sus manos como armas mortales, una noche cayó de rodillas en su habitación, llorando como un niño indefenso. "Dios, Dios, ¿dónde estás?"

Desde los ghettos hasta las mansiones, desde el dirigente de la comunidad al prisionero condenado a muerte, el hombre se pregunta si hay un Dios y si lo hay, ¿cómo es ese Dios?

Un hecho notable para todos aquellos que buscan a Dios es que el creer en una especie de Dios es prácticamente universal. Cualquier período de la historia que estudiemos, cualquier cultura que examinemos, si volvemos nuestra vista atrás en el tiempo, vemos que toda la gente, primitivas o modernas, reconocen alguna clase de deidad. Durante los dos últimos siglos la arqueología ha desenterrado las ruinas de muchas antiguas civilizaciones, pero jamás se ha encontrado ninguna de ellas que no produjese alguna evidencia de un dios que era adorado. El hombre ha adorado al sol y ha tallado ídolos. El hombre también ha adorado una serie de normas, animales y a otros hombres y algunos parecen adorarse a sí mismos. El hombre ha creado dioses con su imaginación, aunque básicamente, a pesar de su confusión, cree que Dios sí existe.

Algunas personas cesan de buscar a Dios, dominados por la frustración, llamándose a sí mismos "ateos" o "agnósticos", declarándose irreligiosos. Y en lugar de eso encuentran necesidad de llenar el vacío que ha quedado en ellos con otra clase de deidad. Por lo tanto, el hombre se crea su propio dios, sea éste el dinero, el trabajo, el éxito, la fama, el sexo o el alcohol y hasta la comida.

Muchos en la actualidad hacen de su nación objeto de adoración, enarbolando el evangelio del nacionalismo. Intentan, equivocadamente, reemplazar al auténtico Dios vivo con la religión del nacionalismo. Otros hacen de su causa un dios y aunque muchos grupos radicales niegan poseer una fe en Dios, miles dan sus vidas voluntariamente, sufriendo privaciones y pobreza a causa de su fe en "la causa" o "la revolución".

No habiendo logrado encontrar al Dios verdadero, muchos declaran su lealtad a dioses y causas menores, pero, sin embargo, no encuentran respuestas fundamentales ni satisfacción. Del mismo modo que Adán fue creado para tener comunión con Dios, también lo son todos los hombres. Jesús comentó acerca del Primer Mandamiento diciendo: "Amarás al Señor tu Dios con todo tu corazón, y con toda tu alma, y con toda tu mente y con todas tus fuerzas" (Marcos 12:30).

Quiso decir que el hombre, cosa que no sucede con las piedras o con los animales, tiene la capacidad para amar a Dios.

Una doble búsqueda

Aunque la persona inteligente busca a Dios, hemos visto que no posee la capacidad intelectual para razonar su modo de llegar hasta Dios y debe preguntarse, con toda seriedad: " ¿Hay alguna esperanza de que tenga éxito en esta búsqueda? ¿Puedo realmente conocer a Dios?"

En cierta ocasión Ludovic Kennedy, de la BBC de Londres, me hizo una entrevista durante la cual me preguntó: "¿Quién creó a Dios?" La respuesta fue sencilla: "Nadie hizo a Dios". Dios existe por sí mismo.

Las palabras que forman la piedra del ángulo de toda existencia son: "en el principio Dios", pues sin Dios no habría habido principio ni continuidad. Dios fue la fuerza creadora y la fuerza coherente que formó el cosmos del caos. Por mandato divino hizo que aparecieran las formas de lo que no tenía forma y estableció el orden donde no existía tal orden e hizo la luz de las tinieblas.

No les es posible a los científicos ver a Dios en la probeta ni en el telescopio. ¡Dios es Dios y la mente del hombre es demasiado pequeña!

Blaise Pascal, el célebre físico francés del siglo XVII, dijo: "Una unidad agregada a lo infinito no añade nada como tampoco un pie añade nada a la longitud infinita. Lo finito queda absorbido por lo infinito y se convierte en un puro cero; lo mismo sucede con nuestras mentes ante Dios".

¿Qué camino debemos seguir en nuestra búsqueda de este Dios grandioso? ¿Cómo puede un ser creado, que es finito, limitado por el tiempo y el espacio, comprender a un Dios infinito?

El que no podamos comprender por completo a Dios es algo que no debiera de parecernos extraño. Después de todo, vivimos rodeados de misterios que no podemos explicar, misterios mucho más sencillos. ¿Quién puede explicar por qué los objetos se sienten siempre atraídos al centro de la tierra? Newton formuló la ley de la gravedad, pero no la pudo expresar. ¿Quién puede explicar la reproducción? Durante años los científicos han intentado reproducir una célula viva y resolver el misterio de la procreación. Creen que se están aproximando, pero de momento no han tenido éxito.

Nos hemos acostumbrado a aceptar como hechos muchos misterios que no podemos explicar. Yo me quedo sorprendido cuando mi esposa mezcla harina de maíz, aceite, huevos, levadura y leche cortada y veo como esa mezcla, que parece una sopa, comienza a aumentar de volumen lentamente en el horno y sale ligera y blanda con una corteza crujiente y doradita. Esto es algo que yo no comprendo, pero acepto los resultados.

Dios es mucho más complejo que algunos de los fenómenos terrenales que no podemos comprender y, sin embargo, podríamos presentar muchos argumentos ante un jurado muy escéptico que sugiriesen la existencia de Dios. En la esfera de lo científico sabemos que cualquier cosa en movimiento debe ser movida por otra cosa, ya que el movimiento es la respuesta de la materia a la energía. Sin embargo, en el mundo de la materia no puede existir la energía sin que exista la vida y la vida presupone un ser que produzca la energía que mueva cosas como las mareas y los planetas.

Otro argumento afirma que nada puede ser la causa de sí misma, puesto que sería anterior a sí misma si fuera la que produjese su propia existencia y ¡eso resulta absurdo!

Consideremos la ley de la vida. Vemos objetos que no poseen intelecto, tales como las estrellas y los planetas, que se mueven de una manera consecuente, y cooperan ingeniosamente el uno con el otro. Es evidente que estos movimientos no los consiguen realizar por accidente, sino con un propósito.

Todo lo que carece de inteligencia no puede moverse con inteligencia. ¿Qué imparte la dirección y el propósito a estos objetos inanimados? Es Dios; El es la fuerza subyacente y la que motiva la vida.

La evidencia y los argumentos sugieren la existencia de Dios, pero a pesar de ello la pura verdad es que los argumentos intelectuales por sí solos no pueden demostrar la existencia de Dios. Si la mente humana pudiese demostrar de una manera absoluta a Dios, ¡Dios no sería mayor que la mente que demostró su existencia!

Finalmente, es preciso venir a Dios por fe porque la fe es el vínculo entre Dios y el hombre. Las Escrituras dicen que es preciso que creamos que *El es*. La palabra "fe" aparece muchas veces en la Biblia y Dios se ha hecho el propósito de alimentar esa fe. Dios sigue tras el hombre de la misma manera que el hombre lo busca a El.

A pesar de la insistente rebeldía del hombre, Dios lo ama con un amor eterno. Algunos padres terrenales se dan por vencidos en lo que respecta a sus hijos cuando éstos siguen malas costumbres o andan en compañía de personas despreciables. Un padre puede ordenar a su hijo o a su hija que se larguen de la casa y puede decirles que no vuelvan más y, por otro lado, tenemos aquellos padres e incluso madres que rechazan a sus hijos antes de nacer. Nosotros conocemos a jóvenes, e incluso a personas mayores, cuyas vidas han quedado marcadas porque sus padres los rechazaron. La única manera en que estas personas pueden sanar es aceptando el hecho y pidiendo al Señor que supla esa falta. La Biblia dice: "Aunque mi padre y mi madre me dejaran, con todo, Jehová me recogerá" (Salmo 27:10).

Dios nunca ha abandonado al hombre. La empresa más dramática de los siglos es la que ha emprendido Dios, con su amorosa y paciente búsqueda del hombre.

Cuando el hombre, en el jardín del Edén, prefirió desafiar la ley de Dios, quebrantando la línea de comunicación entre sí mismo y Dios, ya no pudieron tener comunión. La luz y las tinieblas no podían convivir. ¿Por qué surgió esa barrera entre Dios y su creación? La causa es una característica de Dios que la mayoría de las personas no comprenden; Dios es "santidad" absoluta.

Hace muchísimo tiempo Dios dijo a Israel: "Santo soy yo Jehová vuestro Dios" (Levítico 19:2).

En el libro de Apocalipsis, el clamor del cielo, día y noche, es: "SANTO, SANTO, SANTO EL SEÑOR DIOS, EL TODOPODEROSO, que era, que es, y que ha de venir" (Apocalipsis 4:8).

Un Dios santo retrocede ante el mal; no puede contemplar el pecado porque el pecado le es feo y repugnante. Debido a que el hombre había quedado manchado por el pecado, Dios ya no podía tener comunión con él. Sin embargo, ¡*Dios nos ama, a pesar de nosotros mismos*!

Dios tenía un plan para restablecer la comunión con el hombre, a pesar del pecado. ¡Si Dios no hubiese tenido un plan, ciertamente nadie podría tenerlo! El les había dicho a Adán y Eva al principio, cuando transgredieron su ley: "ciertamente morirás" (Génesis 2:17). En un capítulo posterior expondremos las tres dimensiones de la muerte. El hombre tenía que morir o Dios se hubiera tenido que haber desdecido, y Dios no puede convertirse en un mentiroso o ya no sería Dios.

Vemos que existe un gran abismo entre el hombre y Dios porque el hombre sigue pecando, todavía desafía la autoridad de Dios y actúa independientemente de El. El hombre y la mujer del siglo XX en nada difieren de Adán y Eva. Es cierto que hemos añadido una sofisticada tecnología, hemos construido algún que otro rascacielos y escrito unos cuantos millones de libros, pero todavía existe una laguna entre el hombre pecador y Dios, que es santo. Pero a través de este abismo oscuro y desierto Dios llama, incluso suplica, al hombre para que se reconcilie con El.

Dios nos ama.

El apóstol Juan dijo que "Dios es amor" (1 Juan 4:8).

El profeta Jeremías cita lo que Dios dijo: "Con amor eterno te he amado; por tanto, te prolongué mi misericordia" (Jeremías 31:3).

Otro profeta, Malaquías, dijo: "Yo os he amado, dice Jehová" (Malaquías 1:2).

En todas las buenas novelas y obras de teatro debe existir un conflicto, pero ni siquiera Shakespeare pudo haber creado una trama más poderosa que el dilema divino. Sabemos que el hombre es pecador y que está separado de Dios. Debido a que Dios es santo, no podía automáticamente perdonar o pasar por alto la rebelión del hombre. Porque Dios es amor, no podía dejar al hombre de lado por completo, ¡he ahí el conflicto! ¿Cómo podía Dios ser justo y ser el que justifica? Esa es la pregunta que hace Job: "¿Y cómo se justificará el hombre con Dios?" (Job 9:2).

Dios habla

Cuando yo era niño la radio comenzaba a ponerse de moda. Nosotros teníamos la costumbre de sentarnos alrededor de un aparato de radio casero, muy tosco, y volvíamos los botones intentando establecer contacto con la estación transmisora. Con frecuencia el único sonido que salía del amplificador era el chirrido y el chillido de la estática. No resultaba muy emocionante escuchar todos esos sonidos sin sentido, pero nosotros seguíamos dándole a los botones con expectación. Sabíamos que en alguna parte, en el exterior, se encontraba la emisora que no podíamos ver, de modo que si establecíamos contacto y los botones estaban bien ajustados podríamos escuchar una voz clara y alta. Después de un largo rato de intentarlo sin desfallecer el sonido lejano de la música o de una voz se oía de repente y una sonrisa de triunfo iluminaba los rostros de todos los que estabamos en la habitación. ¡Por fin habíamos logrado sintonizar!

Tal vez estes sorprendido porque los profetas dijeron que Dios les había hablado. ¿Nos habla Dios a nosotros? ¿Nos dice dónde se encuentra, cómo lo podemos hallar, cómo podemos estar en paz con El? Cómo Dios ha contestado a estas preguntas en su Palabra es el tema de la segunda parte de este libro, que trata la clase de persona que Jesucristo era y la obra que hizo. Dios ha resuelto el problema; efectivamente, El nos habla acerca de sí mismo y de su amoroso interés por nosotros. La clave reside en una línea de comunicación que es la "revelación".

Revelación significa "dar a conocer" o "descorrer el velo". La revelación requiere "alguien que revele" y en este caso ese alguien es Dios. Al mismo tiempo requiere quien "escuche", estos fueron los profetas y los apóstoles escogidos que registraron en la Biblia lo que El les dijo. La revelación es la comunicación en la que Dios se encuentra a un lado y el hombre al otro.

En la revelación que Dios estableció entre sí mismo y nosotros podemos hallar una nueva dimensión a la vida, pero para ello es preciso que "sintonicemos". Nos esperan niveles de vida que nunca hemos alcanzado; la paz, la satisfacción y el gozo que nunca hemos experimentado están a nuestro alcance. Dios está tratando de establecer contacto; ¡los cielos llaman y Dios habla!

¿Has escuchado tú la voz de Dios? Al mismo tiempo que tú buscas a Dios, El te habla.

Capítulo tres
¿Nos habla Dios verdaderamente?

DIOS NOS HA HABLADO desde el principio. Adán escuchó la voz del Señor en el jardín del Edén y Dios le habló también a Eva y ella supo quién le hablaba y debió haber temblado porque sabía que había desobedecido a Dios.

Dos personas, un hombre y una mujer, escogieron desobedecer a Dios y se sumieron en un mundo que estaba espiritualmente oscuro y muerto, y que no producía físicamente salvo por medio de duros trabajos y sufrimiento. El mundo se hallaba bajo el juicio de Dios. La Biblia enseña que el hombre se encuentra en un período de apagón espiritual. "El dios de este siglo cegó el entendimiento de los incrédulos" (2 Corintios 4:4).

Isaías, el gran profeta hebreo, dijo: "Palpamos la pared como ciegos, y andamos a tientas como sin ojos; tropezamos a mediodía como de noche; estamos en lugares oscuros como muertos" (Isaías 59:10).

Iasías estaba presentando una descripción gráfica de lo que parece ceguera física, pero que es la oscuridad del espíritu.

El encontrarse atrapado en las tinieblas físicas puede resultar una experiencia pavorosa. Cuando Cliff Barrows y yo nos encontrábamos en Inglaterra, poco después de la Segunda Guerra Mundial, íbamos conduciendo por las calles, con una niebla tan espesa que uno de nosotros tenía que andar delante del coche para evitar que se saliese de la carretera. Esta fue una experiencia nueva, una especie de apagón que nos asustaba.

¡Cuánto peor no resulta encontrarse para siempre espiritualmente oscurecidos y atrapados! Existen aquellos que, aunque físicamente están ciegos, son capaces de "ver" mejor que los de vista normal.

Hay una muchacha coreana, bellísima, con una voz descrita como "electrizante". Esta muchacha también toca maravillosamente el piano y a pesar de ello está ciega. Kim ve más que muchos que tienen una visión 20-20 y no considera su ceguera un impedimento, sino un don de Dios. Yo considero que esta muchacha posee una visión mental, sicológica y espiritual absolutamente sorprendente.

El hombre también está espiritualmente sordo. Otro gran profeta dijo, la gente "tienen oídos para oír y no oyen" (Ezequiel 12:2). Jesús lo dijo con más precisión: "Si no oyen a Moisés y a los profetas, tampoco se persuadirán aunque alguno se levantare de los muertos" (Lucas 16:31).

La diferencia que existe entre la sordera física y la sordera espiritual aparece claramente ilustrada durante las cruzadas. Tenemos un sector para los sordos y con frecuencia me he detenido para estrechar las manos a estos hombres y mujeres. Durante una de las cruzadas trajeron a mi oficina una docena de estas personas sordas y yo les hablé por medio de un intérprete. La luz de Cristo resultaba evidente en el rostro de muchos de ellos.

El mundo de los que están fisicamente sordos es uno que a nosotros que oímos perfectamente nos resulta difícil comprender, pero cada día caminamos en el mundo de los que están espiritualmente sordos.

Desde el punto de vista espiritual, muchos hombres y mujeres están más sordos y ciegos, están muertos. "Estabais muertos en vuestros delitos y pecados" (Efesios 2:1).

Para los que están espiritualmente muertos no existe comunicación con Dios. Millones de personas ansían un mundo de gozo, de luz, de armonía y de paz, pero viven abismados en un mundo de pesimismo, de tinieblas, de discordia y de inquietudes. Buscan la felicidad, pero ésta los elude del mismo modo que un rayo de sol o un haz de luz elude al niño que trata de atraparlo.

Muchos se dan por vencidos y se dejan arrastrar por el pesimismo y con frecuencia su actitud de desesperación conduce a un círculo de fiestas o bares donde olvidan la realidad de su mundo con lo ficticio del alcohol. Algunas veces se dejan llevar por las drogas o por la práctica consumidora de un hobby o un deporte. Todos estos son síntomas de la gran enfermedad escapista causada por una infección perniciosa llamada pecado.

Muchas personas quieren analizar a Dios bajo sus propios microscopios, pero después de haber establecido sus propios métodos de análisis no llegan a ninguna conclusión. Dios continúa siendo el gran silencio cósmico, desconocido y no visto. Sin embargo, Dios se comunica con aquellos que están dispuestos a obedecerle, penetrando el oscuro silencio con descubrimientos gratuitos y que dan vida por medio de la naturaleza, la conciencia humana, las Escrituras y la persona de Jesucristo.

Dios habla por medio de la naturaleza

Yo estuve presente cuando nació el más pequeño de nuestros hijos y nuestros tres yernos y nuestro hijo mayor estuvieron presentes en el nacimiento de sus hijos. Todos nosotros sentimos que habíamos presenciado un milagro y como dijo uno de los médicos: "¿Cómo puede nadie negar la existencia de Dios después de haber presenciado un nacimiento?"

La naturaleza habla, en su propio lenguaje, acerca de la existencia de Dios, ya sea por medio del llanto de un bebé o el canto de una alondra de los prados; es el lenguaje del orden, de la belleza, de la perfección y de la inteligencia. La complejidad de una flor es la obra de Dios, el instinto de los pájaros forma parte de sus planes. Dios habla en el orden de las estaciones, en los movimientos del sol, la luna y las estrellas, en el equilibrio de los elementos que nos permiten respirar. "Los cielos cuentan la gloria de Dios, y el firmamento anuncia la obra de sus manos. Un día emite palabra a otro día, y una noche a otra noche declara sabiduría" (Salmo 19: 1, 2).

El mismo tamaño del universo ha resultado siempre incomprensible para el hombre, pero cuando las exploraciones del siglo XX han llevado al hombre al espacio nuestras mentes se han quedado perplejas. Cada uno de los científicos que no cree en Dios debe de quedarse tremendamente perplejo cuando se encuentra ante la perspectiva de lo pequeño que es el hombre sobre esta tierra: parte de lo que se calcula como unos 100 mil millones de galaxias, con 100 mil millones de estrellas y planetas en cada una de esas galaxias.

Esta generación también ha visto el otro lado de la escala con la exploración del universo. El microscopio electrónico y la investigación bioquímica han permitido a los investigadores examinar células aumentadas 200.000 veces. Hay tantísimas moléculas en una sola gota de agua que si pudiesen ser transformadas en granos de arena, habría suficiente como para asfaltar una carretera que fuese desde Los Angeles a Nueva York.

El apóstol Pablo dijo: "Porque las cosas invisibles de él, su eterno poder y deidad, se hacen claramente visibles desde la creación del mundo, siendo entendidas por medio de las cosas hechas" (Romanos 1:20).

Dios dice que podemos aprender muchísimo acerca de El sencillamente observando la naturaleza. Debido a que El ha hablado por medio de su universo, los hombres y las mujeres no tienen excusa para no creer en El. Este es el motivo por el que el salmista escribe: "Dice el necio en su corazón: no hay Dios" (Salmo 14:1).

Dios habla por medio de la naturaleza, pero nosotros no podemos llegar a conocerlo sencillamente con sentarnos bajo un árbol y contemplar el cielo, puesto que existe otra revelación para nosotros que a menudo se denomina "un silbo apacible".

Dios habla por medio de nuestra conciencia

¿Qué es la conciencia? La definición que ofrece el diccionario es: "Sentimiento interior por el cual aprecia el hombre sus acciones. Conocimiento íntimo del bien que debemos hacer y del mal que debemos evitar".

A veces, pero no siempre, el decir "nuestra conciencia es nuestro juez" es un buen consejo. Dios se manifiesta en nuestra conciencia. A veces es un maestro benévolo, que nos insta a ir en la dirección correcta, del mismo modo que lo haría el acomodador que nos lleva a nuestros asientos en el cine oscuro. En otras ocasiones nuestra conciencia es nuestro peor enemigo y nos tortura día y noche con una inquietud que es una agonía.

Pablo describe con las siguientes palabras el modo de obrar de la conciencia: "Porque cuando los gentiles que no tienen ley, hacen por naturaleza lo que es de la ley, éstos, aunque no tengan ley, son ley para sí mismos, mostrando la obra de la ley escrita en sus corazones, dando testimonio su conciencia, y acusándoles o defendiéndoles sus razonamientos" (Romanos 2:14, 15).

"Lámpara de Jehová es el espíritu del hombre [la conciencia], la cual escudriña lo más profundo del corazón" (Proverbios 20:27).

Al darnos cuenta de que Dios toma una poderosa luz y la enfoca en lo más oscuro de nuestras mentes, y examina no solamente nuestras acciones, sino los motivos tras las acciones, veremos claramente que Dios habla en realidad por medio de nuestra conciencia.

Incluso aquellas personas que no son cristianas se dan cuenta de la existencia de algo, dentro de sí mismos, que es una fuerza guiadora. Hace casi doscientos años escribió Tomás Jefferson que "el sentido de la moral, o la conciencia, forman una parte tan real del hombre como la pierna o el brazo. Todos los seres humanos la tienen en un grado mayor o menor, de la misma manera que la fuerza de los miembros es mayor o menor".

Algunas personas, incluso sin Dios, poseen un mayor sentido de la conciencia que otras, pero aquel cuya conciencia está adormecida o muerta es como un avión sin piloto o un barco sin timón, confundido y sin dirección, destinado a chocar con las circunstancias. La conciencia se puede endurecer a causa del pecado, y hasta puede quedar apagada.

Dios habla por medio de las Escrituras

La Biblia es el libro de texto de la revelación. En el aula de Dios existen tres libros de textos: uno llamado naturaleza, otro llamado conciencia y un tercero llamado Escrituras. Las leyes de Dios reveladas en la naturaleza nunca han cambiado. En el texto escrito de la revelación, es decir, la Biblia, Dios habla por medio de palabras. ¡La Biblia es el único libro que revela el Creador a la criatura que El creó! Ningún otro libro concebido por el hombre puede afirmar semejante cosa y apoyarla con hechos.

La Biblia es única en lo que afirma, en sus enseñanzas y en el modo en que ha sobrevivido. En la actualidad hay muchas personas que están estudiando libros que se supone que ofrezcan las respuestas a las grandes interrogantes de la vida y de la muerte; muchos de estos libros son producto de las religiones orientales o de la filosofía humanística. En su libro *Evidence that Demands a Verdict*, Josh McDowell cita a un antiguo catedrático del sánscrito, que se pasó cuarenta y dos años estudiando los libros orientales y dijo lo siguiente al compararlos con la Biblia: " 'Amontonadlos, si queréis, a la izquierda de vuestra mesa de estudio; pero colocad vuestra propia Sagrada Biblia a la derecha, por sí sola, y con una gran distancia entre ambos. Pues. . . existe un abismo entre él y los llamados libros sagrados del Oriente que divide el uno del otro de un modo absoluto, sin esperanza y para siempre. . . un verdadero abismo que no puede salvar ninguna ciencia de pensamiento religioso' ".[1]

Los escépticos han atacado la Biblia y han retrocedido en confusión. Los agnósticos se han burlado de sus enseñanzas, pero son incapaces de presentar argumentos intelectuales honrados. Los ateos han negado su validez, pero deben aceptar su exactitud histórica y la confirmación arqueológica.

En cierta ocasión cogí una revista noticiosa de solvencia y leí acerca de cierto jefe de estado que había hecho un comentario sobre las tendencias económicas. Nada sorprendente en ello. Tú y yo leemos afirmaciones que hacen hombres y mujeres todos los días y si nos enteramos por diversos medios tenemos la tendencia a creerlas y a contárselo a los demás.

Si nos encontrásemos con un libro que dijese en cientos de ocasiones diferentes que, por ejemplo, la reina de Inglaterra había hablado, creeríamos que verdaderamente había estado haciendo afirmaciones. ¡No cabe duda!

Los escritores de la Biblia hablaron de muchas maneras para indicar que Dios les había dado la información. ¡En el Antiguo Testamento tan sólo dijeron 3000 veces que Dios había hablado! En los cinco primeros libros de la Biblia tan sólo aparecen frases como éstas:

"Jehová Dios llamó al hombre".
"Jehová Dios dijo a la mujer".
"Dijo Jehová a Noé".
"Habló Dios a Israel".
"Dijo Dios".
"Habló Jehová diciendo".
"Jehová mandó".
"Oíd la palabra de Jehová".
"Jehová el Señor dice".

¿Habló Dios a estos hombres al ser inspirados a escribir? Si no lo hizo, en ese caso estos hombres fueron los más descarados y persistentes mentirosos que el mundo jamás haya conocido, o estaban completamente locos. ¿Sería posible que una gran variedad de hombres de diferentes sectores, muchos de ellos no conociéndose entre sí, contasen más de 3000 mentiras sobre un tema? Si estaban equivocados en este aspecto ¿por qué hemos de creer nada de lo que dijeron? Si no podemos creer que Dios les habló a los hombres en la Biblia, tampoco podremos creer que las profecías de estos hombres acontecieron y, sin embargo ¡así fue!

Si una persona te miente dos o tres veces, comienzas a desconfiar de ella y te resulta difícil, si no imposible, creer cualquier cosa que diga. Sin embargo, tendríamos que negar todo lo que dice la Biblia si creemos que los escritores de la Biblia mintieron cuando dijeron que Dios había hablado.

Jesús citaba el Antiguo Testamento con frecuencia, lo conocía bien y nunca dudó las Escrituras. El dijo: "La Escritura no puede ser quebrantada" (Juan 10:35).

Los apóstoles citaron con frecuencia las Escrituras del Antiguo Testamento. Pablo dijo: "Toda la Escritura es inspirada por Dios" (2 Timoteo 3:16). Pedro dijo: "Porque nunca la profecía fue traída por voluntad humana, sino que los santos hombres de Dios hablaron siendo inspirados por el Espítitu Santo" (2 Pedro 1:21).

Muchas personas sacan su fe en la Biblia de información de segunda mano. Una mezcla de películas sobre episodios bíblicos, algunas películas que pasa la televisión, habladurías y cursos sobre religión comparativa les ofrecen la visión que el hombre tiene de las Escrituras. En la escuela secundaria o en la universidad los estudiantes siguen cursos sobre "la Biblia como literatura". En muchas ocasiones estas clases las utilizan los que enseñan para minar la fe de los jóvenes, a menos que el maestro comprenda la Biblia y crea de todo corazón en Dios. Yo conozco a jóvenes que han estudiado tópicos como: "Mitos y discrepancias de la Biblia".

La información de segunda mano no es válida.

Un versículo o un relato de la Biblia pueden hablar a alguien de una manera imaginable a otra persona. Lo que cambió las vidas de toda una familia fue una información de primera mano en una librería de segunda mano.

Mi esposa siente cierta debilidad por los libros, en especial los libros viejos sobre religión, que ya están agotados. En cierta ocasión la librería Foyles en Londres tuvo un gran departamento de libros religiosos de segunda mano. Un día durante la Cruzada de 1954 en Londres, mi esposa se hallaba echando un vistazo a los libros en Foyles cuando un empleado muy afectado apareció de detrás de los montones de libros y le preguntó si ella era la señora de Graham. Cuando ella le dijo que sí, el empleado comenzó a relatarle una historia de confusión, desesperación y frustraciones. Su matrimonio iba a la deriva, su hogar marchaba malamente y los problemas causados por los negocios iban en aumento. Explicó que había explorado las diferentes maneras para encontrar ayuda y, como último recurso, proponía asistir a los servicios en el centro Harringay esa noche. Ruth le aseguró que oraría por él y así lo hizo. Eso sucedió en 1954.

En 1955 regresamos a Londres. Mi esposa fue una vez más al departamento de libros de segunda mano en Foyles y esta vez apareció el mismo empleado detrás de los montones de libros, pero con una amplia sonrisa en su rostro. Después de decirle a mi esposa lo contento que estaba de verla de nuevo y que había encontrado al Señor esa noche en Harringay, según lo explicó, pues había prometido que lo haría, dijo que los problemas de su vida se habían resuelto por sí solos.

Entonces le preguntó a Ruth si le interesaría saber qué versículo fue el que "le había hablado". Ella dijo que sí y una vez más el hombre desapareció detrás de los libros y regresó con una desgastada Biblia en la mano. Buscó el Salmo 102, que yo había leído la noche que había asistido a la cruzada. Le indicó el versículo 6: "Soy semejante al pelícano del desierto; soy somo el búho de las soledades". Esto le había descrito con tal perfección su propia condición que se dio cuenta, por primera vez, la manera tan completa en que Dios comprendía y se interesaba. Como resultado de ello se convirtió por completo al Señor Jesucristo y posteriormente también lo fue el resto de su familia.

Mi esposa estuvo en Londres durante 1972 cuando se celebraba una reunión en Harringay y al finalizar las ceremonias, un caballero se le acercó para hablar con ella, pero no tuvo que presentarse, pues ella reconoció él al empleado de Foyles. Estaba radiante de felicidad, le presentó a su familia cristiana y explicó cómo todos ellos trabajaban entonces para el Señor, todo ello porque el Señor le había hablado cuando él era "un búho de las soledades".

¡Utiliza ese instrumento de comunicación por medio del cual Dios nos habla, es decir, la Biblia! Léela, estúdiala y memorízala. Ella cambiará toda tu vida, pues no es como cualquier otro libro. Es un libro "viviente" y que se introduce en tu corazón, tu mente y tu alma.

Dios habla en lugares oscuros

En aquellos lugares donde resulta fácil y asequible, la Biblia probablemente esté cubierta de polvo, pero en aquellos países donde la Biblia se considera literatura subversiva, Dios habla de maneras inusitadas.

Hace años Chu En-lai invitó a un célebre violinista a que enseñase en una de las más famosas universidades de la República Popular China. Le dijeron que si deseaba marcharse podría hacerlo, pero después de siete años el violinista se sintió completamente desilusionado.

Cuando se dirigió a la oficina de permisos de salida para solicitar el derecho a dejar el país se lo negaron. Pero a pesar de ello, volvió todos los días, y un día introdujeron un pedazo de papel en su bolsillo. Al regresar a su casa lo encontró y lo sacó, para descubrir tan sólo que era una página de la Biblia. La leyó con interés y se dio cuenta de que extrañamente le hablaba a su corazón. Durante una de sus próximas visitas se le acercó un hombre y le preguntó si le gustaría otra página de la Biblia y el violinista dijo que sí.

Cada día que regresaba a la oficina de permisos de salida le entregaban otra página de la Biblia y allí, en la República Popular China se convirtió a Jesucristo. Finalmente recibió su permiso de salida y se marchó a Hong Kong, y ahora es catedrático en otro país.

Cuando Corrie ten Boom se hallaba en el campo de concentración de Ravensbruck el estudio y la enseñanza de la Palabra de Dios fueron los que ayudaron a mantener su mente clara de modo que cuando fue puesta en libertad siguió siendo una persona mentalmente sana. Muchos de los prisioneros eran poco más que vegetales al salir y tenían que recibir cuidados antes de que pudiesen recobrar alguna especie de normalidad.

Cuentan una historia similar referente a una misionera que fue hecha prisionera por los japoneses mientras se hallaba en la China. En ese campo de concentración el castigo por poseer tan sólo una pequeña porción de las Escrituras era la muerte. Sin embargo, alguien le pasó de contrabando, escondido dentro de un abrigo de invierno, un pequeño Evangelio de Juan.

Por las noches, cuando se acostaba, con las sábanas que le cubrían la cabeza y con una linterna, leía un versículo y se dormía aprendiéndose ese versículo de memoria. De este modo, durante un espacio de tiempo, memorizó todo el Evangelio de Juan.

Cuando se iba a lavar las manos se llevaba consigo una página a la vez, la disolvía con el jabón y el agua y dejaba que se fuese por el desagüe. "Y ese es el modo", dijo, "en que Juan y yo nos separamos".

Un poco antes de que los prisioneros fuesen puestos en libertad un reportero de la revista *Time* entrevistó a esta pequeña misionera. Dio la casualidad de que el reportero se hallaba junto a la verja cuando salieron los prisioneros. La mayoría de ellos iban arrastrando los pies, con los ojos mirando al suelo, poco más que autómatas. Pero la misionera salió tan vivaracha como si nada. Se oyó preguntar a uno de los reporteros: "Me pregunto si lograron lavarle el cerebro a ella".

El reportero del *Time* oyó el comentario y respondió: " ¡Dios es el que le ha lavado el cerebro!"

La Palabra de Dios, escondida en el corazón, es una voz persistente, difícil de ahogar. Ruth tuvo otra experiencia en Londres que enfatiza este hecho. Durante las reuniones en Earls Court en 1966 hizo amistad con una bohemia londinense. Cada noche, cuando llegábamos, esta muchacha simpática e irrefrenable estaba esperando a Ruth. Durante la campaña de Earls Court se sentaba con frecuencia junto a Ruth o algunas veces sencillamente la acompañaba hasta su asiento. Entre ellas nació una amistad un tanto singular, pero duradera.

Ruth se enteró de que antes de su conversión la muchacha había estado drogándose y le dijo que memorizara algunos versículos que consideraba importantes para ella, como Juan 3:16, 1 Juan 1:8 y los dos últimos versículos de Judas. Una noche incluso llegó a advertirle que, debido a su pasado, cuando se encontrase ante un momento de debilidad en la vida tendría dos alternativas: una de ellas sería la de volver a las drogas y la otra sería la de avanzar con el Señor Jesucristo.

Una noche, durante una de las reuniones, un acomodador le entregó una nota a mi esposa, que decía: "Estoy tomando drogas, la necesito a usted; por favor, venga a ayudarme". Estaba firmada por esta joven amiga.

Ruth salió silenciosamente de la reunión y se la encontró esperándola, con el rostro pálido, los ojos caídos y evidentemente bajo las drogas. Ruth, no habiendo tenido demasiada experiencia previa con los drogadictos pensó que debían ser tratados como los borrachos y la llevó a una cafetería para que la muchacha tomase un café. Ruth no se dio cuenta de que esa era la cosa menos indicada que podría haber hecho. Durante el camino le preguntó a la muchacha por qué había hecho eso y la única respuesta que recibió fue: "Mi mejor amiga ha fallecido hoy a causa de una sobredosis".

Ruth quería que la muchacha escuchase el sermón, así que se sentaron sobre un escalón, desde donde podían oír la reunión. La muchacha no se hallaba en condiciones de escuchar y dándose cuenta de que la muchacha se estaba quedando dormida, Ruth escribió en una tarjeta que se encontraba en el fondo de un paquetito de Kleenex, algo parecido a esto: "Dios me ama. Jesús murió por mí y sin importar lo que yo haya hecho, El me perdonará si me arrepiento y le pido que me perdone".

Al año siguiente, 1967, nos hallamos de nuevo en Londres, en Earls Court, para otra serie de reuniones. Una tarde Ruth tomaba el té con su joven amiga bohemia. La muchacha buscó en su bolso y sacó la tarjeta de la cajita de Kleenex, toda arrugada, sobre la que Ruth había escrito las palabras el año anterior. Ella le preguntó a Ruth cuándo había escrito esas palabras y Ruth se lo dijo, pero la muchacha no podía recordar lo que había sucedido aquella noche. Entonces repitió los versículos de las Escrituras que Ruth le había pedido que aprendiese y le preguntó que cuándo los había aprendido. Ruth le explicó, pero la muchacha no podía acordarse de la ocasión. Resulta interesante que las drogas pudiesen producir amnesia hasta cierto punto, pero no habían sido capaces de borrar la Palabra de Dios, que ella había escondido en su corazón.

Una situación similar aconteció cuando Ruth se cayó de

un árbol mientras intentaba construir un tobogán para nuestros nietos. Sufrió una severa conmoción y estuvo inconciente durante cerca de una semana. Al recobrar el conocimiento lo que más le preocupó fue lo poco que podía recordar. Su mayor pérdida consistía en versículos de la Biblia que había memorizado a lo largo de los años.

En su libreta ella anotó cómo una noche, mientras oraba con insistencia sobre este hecho, de la nada le vinieron las palabras: "Con amor eterno te he amado, por tanto te soporté con misericordia". Ella no podía recordar cuándo o dónde había memorizado ese versículo, porque su mente todavía estaba confusa y a pesar de todo ¡ahí estaban!

Dios habla por medio de Jesucristo

Dios habla con toda claridad en la persona de su Hijo Jesucristo. "Dios. . . en estos postreros días nos ha hablado por el Hijo" (Hebreos 1:1, 2).

A lo largo de las edades muchas personas han creído que Dios es un espíritu que se encuentra dentro de todas las personas. Tolstoi, el gran escritor ruso, dijo: "Todos los hombres reconocen dentro de sí mismos un espíritu libre y racional, independiente de su cuerpo. Este espíritu es lo que llamamos Dios".

Los filósofos han encontrado a Dios en todas las cosas. Durante el primer siglo el filósofo romano Séneca sentó el precedente para esta creencia a lo largo de las edades cuando escribió: "Llamémosle naturaleza, destino o fortuna: todos ellos son los nombres del único y mismo Dios".

Naturalmente Séneca estaba equivocado, pero millones de hombres a lo largo de las edades también lo han estado.

En la mayoría de las religiones del mundo encontramos referencias a una creencia según la cual Dios habría de visitar la tierra. Muchos hombres han venido afirmando ser Dios. Un hombre, procedente de Corea, en la actualidad se ha ganado una gran cantidad de seguidores afirmando ser el "Señor de la Segunda Venida".

Sin embargo, no fue hasta "el cumplimiento del tiempo", cuando todas las condiciones eran las apropiadas y se habían cumplido las profecías, que Dios "envió a su Hijo, nacido de mujer" (Gálatas 4:4).

En una pequeña ciudad, en el Oriente Medio, hace casi 2000 años, se cumplió la profecía de Miqueas cuando Dios "fue manifestado en carne" (1 Timoteo 3:16). Esta revelación vino en la persona de Jesucristo.

Las Escrituras dicen acerca de Jesucristo: "Porque en El habita corporalmente toda la plenitud de la Deidad (Colosenses 2:9).

Esta revelación es la más completa que Dios jamás dio al mundo. ¿Quieres tú saber cómo es Dios? Todo cuanto has de hacer es mirar a Jesucristo.

La naturaleza posee perfección y belleza; en el mundo que nos rodea vemos orden, poder y majestad. Todas estas descripciones se aplican a Jesucristo. En el modo de expresarse de nuestra conciencia y en la magnificencia de la Escritura encontramos la justicia, la misericordia, la gracia y el amor y estos son atributos de Jesucristo. "Aquel Verbo [logos] fue hecho carne, y habitó entre nosotros" (Juan 1:14).

Jesús dijo a sus discípulos y a cada uno de nosotros que vivimos en el siglo XX: "Creéis en Dios, creed también en mí" (Juan 14:1). Esta secuencia en la fe es inevitable porque si creemos en lo que Dios hizo y en lo que Dios dijo, debemos creer en Aquel que Dios envió.

¿Cómo podemos nosotros creer? El medio para comprender estos hechos de la salvación es la "fe". No siempre se nos exige comprenderlo todo, pero se nos dice que creamos. "Pero éstas se han escrito para que creáis que Jesús es el Cristo, el Hijo de Dios, y para que creyendo, tengáis vida en su nombre (Juan 20:31).

Toda necesidad de conocer a Dios, toda esperanza de vida eterna, todo deseo de un nuevo orden social han de ir unidos al que puede realizar estas metas, Jesucristo. Cuando venimos a Jesucristo, lo desconocido se hace conocido y experimentamos al propio Dios.

Cuando nuestras vidas oscurecidas y que buscan a ciegas experimentan la luz de la presencia eterna de Dios, podemos ver que otro mundo va más allá de la confusión y de la frustración del mundo en que vivimos.

Una niñita, demasiado pequeña para ir siquiera a la escuela, entró en uno de esos laberintos con espejos en un parque de distracciones. Cuando su padre descubrió que la niñita se le había ido, la vio que intentaba encontrar la salida y comenzaba a llorar asustada. Cada vez se sintió más confusa por los diferentes caminos, hasta que oyó a su padre decirle: "No llores cariño, extiende las manos y busca a tu alrededor y encontrarás la puerta. Sencillamente sigue mi voz".

Al hablar, la niñita se calmó y no tardó en encontrar la salida y salió corriendo para refugiarse en la seguridad de los brazos del padre, que éste tenía abiertos.

Dios se ha revelado a la raza humana en este pequeño planeta por medio de la naturaleza, de la conciencia y de la Biblia y, de un modo absoluto, en la persona de Jesucristo.

Capítulo cuatro
¡Pero si yo no soy religioso!

CON FRECUENCIA oímos la pregunta: "¿Y qué hay de las otras religiones del mundo? ¿Acaso una religión no es tan buena como otra?

Pocos términos en el lenguaje del hombre han sido tan falseados y malentendidos como el de "religión". El filósofo alemán del siglo XVIII Immanuel Kant, describió la religión como "moralidad o acción moral". Hegel, el filósofo que influyó en el pensamiento de Hitler, dijo que la religión era "una especie de conocimiento".

Para muchas personas la palabra "religión" posee muchos significados; puede significar el simbolismo sádico de las chicas de Manson, que se cortaron una "x" sobre la frente; pueden ser los ritos de la meditación trascendental o los cantos de las diferentes sectas; o puede evocar la meditación tranquila dentro de las paredes reconfortantes de una iglesia.

Muchas personas dicen con orgullo: "Yo no soy muy religioso", pero a pesar de algunas de sus objeciones el hombre es un ser religioso. La Biblia, la antropología, la sociología y otras ciencias nos enseñan que la gente ansía algún tipo de experiencia religiosa.

Mi especialización en la universidad fue la antropología, sobre la cual nos dice el diccionario que trata de las razas, costumbres y creencias de la humanidad. También he tenido el privilegio de viajar extensamente en cada uno de los continentes y he hallado en mi experiencia personal que lo que yo había aprendido de la antropología es cierto: el hombre posee, de un modo natural y universal, la capacidad para la religión y no solamente la capacidad, sino que la mayoría de los seres de la raza humana practican o profesan alguna forma de religión.

Podemos definir la religión como algo que posee dos polos magnéticos, el bíblico y el naturalista. El polo bíblico se describe en las enseñanzas de la Biblia, y el naturalista queda explicado en todas las religiones creadas por el hombre. En los sistemas humanísticos existen siempre ciertos elementos de verdad y muchas de estas religiones han tomado prestado del judeocristianismo; muchas de ellas utilizan porciones e incorporan sus propias fábulas. Otras religiones poseen, en fragmentos, lo que el cristianismo tiene como un todo.

El apóstol Pablo estaba describiendo el polo naturalista cuando dijo que los hombres "cambiaron la gloria de Dios incorruptible en semejanza de imagen de hombre corruptible, de aves, de cuadrúpedos y de reptiles" (Romanos 1:23).

Todas las religiones falsas dejan fuera algunas partes de la revelación de Dios, añaden sus propias ideas y presentan varios puntos de vista que difieren de la revelación de Dios en la Biblia. La religión natural no procede de Dios, sino del mundo natural que El creó y que se apartó de El en su orgullo.

Una falsa religión es como la imitación de la alta costura. He leído que después de un desfile de modelos originales en uno de los centros del mundo de la moda como París, no tardan mucho en aparecer copias de los modelos en los grandes almacenes, bajo diferentes etiquetas. La misma presencia de las imitaciones prueba la existencia del original. No habría imitaciones sin que existiese el producto genuino.

¡El modelo original de Dios siempre ha encontrado imitadores y falsificaciones!

El nacimiento de la religión

¿Cómo comenzaron todas las religiones del mundo? Un famoso conquistador militar del pasado pudo expresar una verdad, sin darse cuenta de que había pasado de lado lo que era la auténtica Verdad. Napoleón Bonaparte afirmó: "Yo creería en una religión si hubiese existido desde el principio de los tiempos, pero cuando pienso en Sócrates, en Platón, en Mahoma, ya no creo porque todas las religiones han sido creadas por el hombre".

Paul Bunyan dijo en cierta ocasión: "La religión es la mejor armadura que puede tener el hombre, pero es la peor capa".

¿Cuándo inventó el hombre este enredo de la religión? Comenzó con un par de individuos bastante bien conocidos. Cuando Adán y Eva tuvieron sus hijos, sería de esperar que hubiesen sido capaces de inculcarles a ambos la importancia de la apropiada relación con Dios, pero, así y todo, Caín quiso hacerlo a su propio modo. Se aproximó al primer altar con su ofrenda del "fruto de la tierra", tratando de ganarse de nuevo el "paraíso" sin aceptar el plan de la redención de Dios. Caín trajo lo que él había plantado, los elementos distintivos de su propia cultura. En la actualidad llamaríamos la ofrenda de Caín su intento de salvación por medio de las obras, pero Dios no dijo nunca que pudiésemos llegar al cielo por medio de las obras.

Su hermano, Abel, obedeció a Dios y humildemente ofreció el primero de su rebaño en un sacrificio de sangre. Abel estaba de acuerdo con Dios en que el pecado merecía la muerte y podría ser cubierto ante Dios sólo por medio de la muerte sustituidora de un sacrificio sin mancha. Caín rechazó deliberadamente este plan. Dios requería un sacrificio de sangre.

Los escritores de la Biblia sabían que la sangre era absolutamente esencial para la vida. Una persona o un animal puede seguir adelante sin una pierna o un ojo, pero ningún animal ni ningún hombre podía vivir sin sangre. Por eso es que el Antiguo Testamento dice: "La vida de la carne en la sangre está" (Levítico 17:11).

De este modo, la Biblia enseña que la expiación del pecado

sólo puede realizarse por medio del derramamiento de sangre. "Según la ley, casi todo tiene que ser purificado con sangre; y no hay perdón de pecados sin que se derrame sangre" (Hebreos 9:22 VP).

Por lo tanto, cuando hablamos acerca de la sangre de Cristo, estamos diciendo que El murió por nosotros. El sacrificio de sangre subrayó la importancia del pecado; el pecado era una cuestión de vida y muerte. Sólo el derramamiento de sangre podía servir para expiar el pecado. La muerte de Cristo también subrayó el principio de la sustitución. En el Antiguo Testamento un animal sacrificado se consideraba un sustituto; el animal inocente ocupaba el lugar de la persona culpable. Del mismo modo, Cristo murió en nuestro lugar. El era inocente, pero derramó su sangre libremente por nosotros y ocupó nuestro lugar. Merecíamos morir por nuestros pecados, pero El murió en nuestro lugar.

Debido a que Cristo murió por nosotros, podemos conocer su vida ahora y por la eternidad. "Sabiendo que fuisteis rescatados. . . no con cosas corruptibles. . . sino con la sangre preciosa de Cristo" (1 Pedro 1:18, 19).

Cuando Caín prefirió seguir su propio camino, no el de la sangre, de Dios, algo le amargó el corazón, comenzó a odiar a su hermano Abel y del mismo modo que el auténtico cristiano a veces no es aceptado por aquellos que tienen su religión, creada por los hombres, Abel no fue aceptado por Caín y este odio se emponzoñó hasta que Caín mató a su hermano.

A lo largo de todas las culturas y edades el orgullo, los celos y el odio han estado en el corazón humano. Hace muchos años, cuando yo era un estudiante en Florida, un joven mató a su hermano mayor cegado por los celos. Su padre y su madre habían perecido en un accidente automovilístico y cuando se leyó el testamento éste indicaba que el hermano mayor había recibido dos tercios de la huerta de naranjas, dejando solamente un tercio para el hermano menor. Este comenzó a mostrarse mal humorado y deprimido y furioso contra sus padres fallecidos y al mismo tiempo intensamente celoso de su hermano. Entonces el hermano mayor desapareció y unas siete semanas después apareció su cuerpo atado con alambre al tronco de un ciprés en un río.

Los tiempos no han cambiado. Millones de personas desean la salvación, pero bajo sus propios términos; quieren marcar su propio curso e idear toda clase de caminos que conducen a Dios.

Si el cristianismo es verdad, no es una religión. La religión es el esfuerzo que hace el hombre por llegar a Dios. El diccionario la describe como "la creencia en Dios o en dioses. . . o, culto a Dios o a dioses". ¡La religión puede ser cualquier cosa!, pero el verdadero cristianismo es la venida de Dios al hombre en una relación personal.

El actual interés en el ocultismo y en las religiones orientales indica que el hombre sigue eternamente buscando a Dios. No podemos eludir el hecho de que el hombre es instintivamente religioso, pero Dios ha escogido revelarse a nosotros por medio de la naturaleza, de la conciencia, de las Escrituras y por medio de Jesucristo. ¡Las Escrituras dicen que no hay excusa para la persona que no conozca a Dios!

En el nombre de la "religión"

No es de sorprender que haya personas que digan con satisfacción: "Yo no soy religioso". Se han cometido grandes crueldades y tremendas injusticias en el nombre de la religión.

En China, cuando mi esposa era pequeña, era frecuente que aquellos bebés que morían antes de que les hubiesen salido los dientes eran echados a los perros callejeros para que se los comiesen. La gente temía que si el espíritu maligno pensaba que querían demasiado a sus hijos vendría y se llevaría a otro de ellos y trataban de mostrar su indiferencia de este modo tan inculto. La "religión" se le antojaba a Ruth como algo inflexible y lúgubre y a veces hasta cruel.

En una ocasión vi un hombre en la India tumbado sobre una cama de púas. Había estado allí muchos días, sin comer nada y bebiendo muy poca agua. Estaba tratando de expiar sus pecados. En otra ocasión, en Africa, vi a un hombre caminar sobre carbones encendidos. Se suponía que si salía sano y salvo era aceptado por Dios, pero si se quemaba, lo consideraban un pecador que necesitaba aún arrepentirse.

En la India una misionera que pasó la ribera del río Ganges

vio a una madre sentada a la orilla del río con dos críos. Sobre su regazo había un bebé recién nacido y lloriqueando junto a ella había un crío, retrasado mental, de unos tres años. Al regresar a la casa aquella noche, la misionera vio a la joven madre todavía sentada junto al río, pero el bebé ya no estaba y la madre trataba de consolar a la pobre criatura que era retrasada mental. Horrorizada por lo que ella creía haber sucedido, la misionera vaciló un momento y luego se acercó a la madre y le preguntó qué había sucedido. Con lágrimas que le caían por las mejillas, la madre la miró y le dijo: "Yo no sé acerca del dios de su país, pero el dios del mío requiere lo mejor". Ella había entregado a su bebé, que era perfecto, al dios del Ganges.

Muchas personas han hecho sacrificios humanos en nombre de la religión. Han adorado toda clase de ídolos, desde monos de cobre hasta árboles. En algunas de las islas del Pacífico, por ejemplo, algunos de los isleños creen que las almas de sus antepasados están en algunos árboles. Ellos presentan ofrendas a los árboles y creen que si algo malo le sucede al árbol, alguna desgracia caerá sobre el poblado. Ellos temen que si alguien corta el árbol, el poblado y todos sus habitantes perecerán inevitablemente.

En nombre de la religión, reyes, emperadores y dirigentes de naciones y tribus han sido adorados como dioses. Un erudito inglés escribió: "Durante cierto período de la sociedad primitiva se pensaba que el rey o el sacerdote poseía poderes sobrenaturales o que eran la reencarnación de una deidad y, por lo tanto, que eran responsables del mal tiempo, de si la cosecha fracasaba y calamidades por el estilo".[1]

Un ejemplo de la clase de monarcas adorados como si fuesen deidad es el Mikado, emperador espiritual del Japón. En un decreto oficial recibió el título de "deidad manifiesta o encarnada". Un relato antiguo dice acerca del Mikado: "Se consideraba algo degradante y vergonzoso que el emperador tocase siquiera el suelo con su pie. . . Ninguna de las cosas superfluas del cuerpo se las quitaban, ya fuese el pelo, o la barba y ni siquiera le cortaban las uñas".[2]

Muchos se encogerán de hombros ante la "religión" y estarán de acuerdo con el catedrático de filosofía de una prestigiosa universidad norteamericana que escribió: "El término 'religión' se utiliza como etiqueta para referirse al mismo tiempo al judaísmo, al cristianismo, al islam, al budismo, al hinduismo, al taoísmo, al confucianismo, así como a una serie de numerosas ramas surgidas de éstas, algunas de ellas con su propio nombre y otras que no lo tienen, pero todas ellas se consideran suficientemente similares como para mencionarlas junto a las siete nombradas, y así situarla convenientemente".[3]

¿Podemos realmente situar el cristianismo con toda "religión" del mundo?

Sin excusa

Desde el principio de los tiempos, la religión "natural" fue introducida en el escenario humano como sustitutivo del plan de Dios. El apóstol Pablo describe este fenómeno en su epístola a los Romanos, utilizando referencias a imágenes que parecen pájaros, animales y serpientes para ilustrar la religión creada por el hombre, pero esto no describe todas sus formas. En la actualidad existen muchas nuevas y más sofisticadas expresiones religiosas, especialmente en algunas universidades, pero proceden realmente de la misma raíz: del hombre que busca a Dios de una manera consciente o inconsciente.

Pablo describe la corrupción que el hombre ha hecho de la revelación de Dios: "Porque las cosas invisibles de él, su eterno poder y deidad, se hacen claramente visibles desde la creación del mundo, siendo entendidas por medio de las cosas hechas, de modo que no tienen excusa. Pues habiendo conocido a Dios, no le glorificaron como a Dios, ni le dieron gracias, sino que se envanecieron en sus razonamientos, y su necio corazón fue entenebrecido. Profesando ser sabios, se hicieron necios, y cambiaron la gloria del Dios incorruptible en semejanza de imagen de hombre corruptible, de aves, de cuadrúpedos y de reptiles. Por lo cual también Dios los entregó a inmundicia, en las concupiscencias de sus corazones, de modo que deshonraron entre sí sus propios cuerpos, ya que cambiaron la verdad de Dios por la mentira, honrando y dando culto a las criaturas antes que al Creador, el cual es bendito por los siglos" (Romanos 1:20-25).

Pablo está diciendo sencillamente que todos los hombres, en todas partes, poseen por lo menos un conocimiento primitivo de Dios. Algunas personas reciben esta idea con cinismo, que da pie a la pregunta inevitable: ¿Qué diremos de los paganos que nunca han oído hablar de Jesús?

¿Qué diremos de los paganos en las ciudades pequeñas de los Estados Unidos de América, o de los paganos de Oxford o de la Sorbona? Dios nos creó a todos a su imagen; todos han de responder por la luz que El les reveló. ¿Cómo puede un Dios justo condenar a aquellas personas que nunca han tenido la oportunidad de oír el evangelio? La respuesta se encuentra en Génesis 18:25: "El Juez de toda la tierra, ¿no ha de hacer lo que es justo?"

La naturaleza de Dios da testimonio de un poder divino y de la persona divina a la que todo el mundo deberá responder. Por otro lado, la justicia de Dios se mostrará en contra de aquellos que no han vivido conforme a la luz que El les ha dado.

Durante mi vida, he oído de ocasiones en las que las personas han recibido una visión del "poder divino y la naturaleza divina" de Dios, sin haber tenido el privilegio de la Biblia o una cruzada de evangelización.

A mediados de 1950, llevamos a cabo una importante cruzada en Madras, la India. Un hombre anduvo más de 200 kilómetros para asistir a las reuniones. Me dijeron que este hombre procedía de un poblado que nunca había tenido un misionero y, conforme a lo que todos sabían, el evangelio de Cristo era totalmente desconocido. Pero, sin embargo, deseaba con todo su corazón conocer al Dios vivo y verdadero. Había oído que un "guru" de América iba a hablar y su deseo de Dios era tan intenso que vino y halló a Cristo. Ocho meses más tarde cuando el obispo Newbigin de la Iglesia del Sur de la India (quien me contó la historia) visitó el pueblo, encontró que toda la comunidad se había transformado en una iglesia y todos habían sido guiados a Cristo por este solo hombre.

Cuando nos encontrábamos predicando al noroeste de la India en 1972, había personas que anduvieron hasta durante diez días, llevaban todas sus pertenencias a hombros y trajeron a toda su familia desde lugares como el Nepal, Sikkim y Birmania. Nos dijeron que muchos de ellos nunca habían oído el nombre de Jesucristo. Solamente habían oído que se iba a celebrar una reunión religiosa y habían venido a ver y oír de qué se trataba. Muchos de ellos se quedaron para encontrar a Cristo.

Estoy convencido de que cuando un hombre busca a Dios de todo corazón y lo hace con sinceridad, Dios se revelará de alguna manera. Una persona, una Biblia, o alguna experiencia con los creyentes será utilizada por Dios para alcanzar a aquel que busca.

El doctor Donald Barnhouse, renombrado maestro de la Biblia, relató un viaje en barco por un río en el centro de Africa. Cuando se subió al barquito, vio una gallina y pensó que probablemente sería para la próxima comida. Al cabo de dos o tres horas oyó un rugido en la distancia y se dio cuenta de que se acercaban a aguas turbulentas. Los nativos, que remaban la barquita, se dirigieron hacia la orilla, salieron y se llevaron la gallina al bosque. Allí construyeron un altar muy tosco. Antes de sacrificar a la gallina, le cortaron la cabeza y derramaron la sangre sobre la proa de la embarcación. El doctor Barnhouse dijo que se dio cuenta una vez más que hasta sin un misionero y sin que se enseñara la Palabra de Dios a esa gente, ellos sabían que era necesario un sacrificio.

De modo que Pablo dice que Dios se ha asegurado de que todas las personas, en todo lugar, posean un conocimiento básico de El, de sus atributos, de su poder y de su naturaleza divina. Ellos pueden responder a Dios, si lo desean, por medio de lo que observan y por medio de sus conciencias.

Pero la humanidad le ha dado la espalda a Dios. Sus mentes no amaron la verdad lo suficiente, ni sus voluntades desearon obedecerle a El y sus emociones permanecieron impasibles ante la perspectiva de agradarle.

¿Qué había sucedido? ¿Qué está sucediendo aún? El hombre suprime la verdad, la mezcla con el error y desarrolla las religiones del mundo.

Las religiones humanísticas a menudo se sienten ofendidas por la fe bíblica, que es la creencia que acepta la Biblia como fuente autoritativa de lo que es el pecado, y cómo por medio de la vida y la muerte expiatoria de Cristo, Dios puede declarar "justos" a los pecadores. Las religiones naturales contienen exactamente la verdad necesaria como para hacerla engañosa. Puede contener elementos de la verdad o elevados niveles éticos. Algunos de sus seguidores a veces utilizan términos que suenen como el lenguaje de la Biblia. El erudito inglés C.S. Lewis dijo que en realidad todas las religiones son una representación o una perversión del cristianismo.

La religión del hombre puede tener un sonido la mar de agradable. Thomas Paine escribió: "El mundo es mi país, toda la humanidad son mis hermanos y mi religión consiste en hacer el bien". Aun cuando la moralidad o hacer el bien puede ganarse la aprobación de los hombres, no es aceptable a Dios, ni refleja plenamente todo lo que El requiere de la moral. Es más, algunas de las más cruentas inmoralidades de la historia humana han gozado de la aprobación de la religión natural.

Hay un gran falsificador que se adapta a todas las culturas, que a veces hasta llega a engañar a los auténticos creyentes. No aparece en escena vestido de rojo y con una horrible máscara, sino que se presenta como "ángel de luz". Así es como opera Satanás. Miles de personas han entrado en las iglesias sin descubrir una experiencia vital con Jesucristo. Se les ha entregado sustitutos disfrazados de rituales religiosos, de buenas obras, de esfuerzos dirigidos hacia la comunidad o de reforma social, los cuales son perfectamente loables en sí mismos, pero ninguno de ellos puede lograr que la persona adquiera la debida relación con Dios.

Hay muchas personas que dicen: "Supongo que soy cristiano" o "intento ser cristiano", pero la vida cristiana no es un suponer ni un "intentar". Hasta algunos de los grandes intelectuales de nuestros días no han acabado de comprender esta verdad: la sencillez del evangelio puede alcanzar a los retrasados mentales así como a los genios.

Los que hacen concesiones

Donde existe la verdad y el error siempre se hacen concesiones. En el ámbito de algunas iglesias hay un movimiento creado con el fin de dar nueva forma al mensaje cristiano para que resulte más aceptable al hombre moderno. Muchos opinan que "las iglesias cristianas han sido y todavía continúan siendo fuente del antiintelectualismo y la oposición al pensamiento crítico".[4]

Se escriben libros y se predican sermones burlándose de la Biblia y las creencias básicas de la fe cristiana. Un grueso volumen se llama *Bible Myths* y el capítulo titulado "Los Milagros de Cristo" comienza de la siguiente manera: "La historia legendaria de Jesús de Nazaret, que aparece en los libros del Nuevo Testamento, está llena de prodigios y de maravillas. Estos supuestos prodigios, y la fe que la gente parece haber depositado en semejante serie de falsedades, indican la prevalente disposición de la gente a creer en cualquier cosa, y fue entre esta clase que se propagó el cristianismo".[5]

La revista *Time*, en un largo artículo sobre la Biblia, dijo: "Las preguntas acerca de la veracidad de la Biblia no son algo nuevo, las ha habido desde los primeros días".[6]

Conocí un profesor de arqueología en la universidad de Wheaton que al propio tiempo cursaba estudios en la universidad de Chicago. Con frecuencia el catedrático de Chicago sacaba a colación algún tema para minar la confianza que merecen las Escrituras. En cada ocasión el profesor de arqueología sacaba algún descubrimiento arqueológico que demostraba la autenticidad de las Escrituras. En cierta ocasión, el catedrático de la universidad de Chicago exclamó exasperado: "¡Ese es el problema de ustedes los arqueólogos evangélicos! ¡Siempre están desenterrando algo para demostrar que nosotros estamos equivocados y que la Biblia tiene razón!"

La arqueología nunca ha descubierto algo que impugnase las Escrituras.

Hay algunos teólogos que no pueden ponerse de acuerdo entre sí sobre qué parte del Nuevo Testamento retener y cuál rechazar. Algunos de ellos parecen estar de acuerdo en que los milagros fueron mitos. Consideran la Resurrección como una experiencia subjetiva de los discípulos en lugar de un suceso histórico objetivo. Ponen en duda el que Jesucristo fuese sobrenatural y rechazan la explicación que dice que parte de su excelencia radica en el hecho de que El era Dios además de ser hombre.

C. S. Lewis se sentía confundido por los críticos de la Biblia que escogían entre los sucesos sobrenaturales los que querían aceptar. "Se quedaba atónito ante la teología selectiva del exégeta cristiano que 'después de tragarse el camello de la Resurrección, se ahoga con pequeñeces como la alimentación de las multitudes' ".[7]

Los engañadores

De la transigencia al engaño hay un pequeño paso. A lo largo de toda la Biblia se nos advierte en contra de los falsos profetas y de los falsos maestros. Jesús dijo: "Guardaos de los falsos profetas, que vienen a vosotros con vestidos de ovejas, pero por dentro son lobos rapaces. . . Así que, por sus frutos los conoceréis" (Mateo 7:15-20).

Algunas veces los "vestidos de ovejas" son vestiduras clericales. Puede tratarse de una modernista o de un fundamentalista. El modernista es como los antiguos saduceos, que niegan la verdad bíblica. Los fundamentalistas extremos, como los antiguos fariseos, pueden aceptar la teología ortodoxa, pero le añaden tanto material que no es bíblico. En otras ocasiones el ropaje lo puede llevar una persona con una serie de diplomas, que utiliza frases que suenan lógicas. A veces le resulta difícil al cristiano discernir al falso maestro, porque en cierto modo se parece al verdadero maestro. Jesús habló acerca de los falsos profetas que "harán grandes señales y prodigios, de tal manera que engañarán, si fuere posible, aun a los escogidos" (Mateo 24:24).

La persona detrás del Gran Engaño es el propio Satanás. El es ingenioso e inteligente, y obra de manera tan sutil y secreta que ningún cristiano debiera presumir diciendo que se encuentra por encima de sus ataques.

El apóstol Pablo le advirtió a Timoteo: "Mas los malos hombres y los engañadores irán de mal en peor, engañando y siendo engañados" (2 Timoteo 3:13). También advirtió a la iglesia de Efeso: "Nadie os engañe con palabras vanas" (Efesios 5:6), y una vez más: "para que ya no seamos niños fluctuantes, llevados por doquiera de todo viento de doctrina, por estratagema de hombres que para engañar emplean con astucia las artimañas del error" (Efesios 4:14).

Una mujer que ahora dirige a cientos de mujeres cada semana en una clase bíblica en California dijo que durante años su seudointelectualismo la había hecho agarrarse a todo "pensamiento religioso" que le fuese presentado. Después de haber aceptado a Jesucristo como su Salvador y de haber nacido de nuevo espiritualmente, dijo: "Ya no soy una niña. . . llevada por cualquier viento de doctrina".

Este es un tiempo cuando aparecerán más falsos maestros. Puede que vivamos en un tiempo en la historia cuando esta edad esté llegando al final. El apóstol Pedro dijo: "Pero hubo también falsos profetas entre el pueblo, como habrá entre vosotros falsos maestros, que introducirán encubiertamente herejías destructoras, y aun negarán al Señor que los rescató, atrayendo sobre sí mismos destrucción repentina. Y muchos seguirán sus disoluciones, por causa de los cuales el camino de la verdad será blasfemado, y por avaricia harán mercadería de vosotros con palabras fingidas. Sobre los tales ya de largo tiempo la condenación no se tarda, y su perdición no se duerme" (2 Pedro 2:1-3).

Cuando nos damos cuenta de que las herejías y las decepciones son secretamente introducidas, debiera hacer que estuviésemos aún más alerta. La escuela dominical, la clase bíblica, el púlpito, la clase y los medios de comunicación están siendo masivamente invadidos. Están incluso utilizando algunos de los términos del cristianismo, por ejemplo, *paz, amor, nacer de nuevo*. Estad alerta a las palabras que sazonan la literatura secular y que poseen un significado totalmente diferente: *mesías, un cristo, redención, regeneración, génesis, conversión, misericordia, salvación, apóstol, profeta, libertador, salvador, un dirigente espiritual.* Incluso los grandes términos teológicos como *evangélico, Biblia infalible*, etc. están rápidamente perdiendo su antiguo significado.

Hoy en día miles de cristianos que no han aprendido están siendo engañados, como lo son millones de personas que rechazan o ignoran al verdadero Cristo. Los engañadores, con argumentos intelectuales que suenan a epítome de erudición, están engañando a muchos.

Pablo no es muy amable cuando habla de los falsos profetas y dice: "Pero el Espíritu dice claramente que en los postreros tiempos algunos apostatarán de la fe, escuchando a espíritus engañadores y a doctrinas de demonios; por la hipocresía de mentirosos" (1 Timoteo 4:1, 2).

La Biblia dice con toda claridad que muchos se han apartado porque han escuchado las mentiras de Satanás y deliberadamente han preferido aceptar las doctrinas de los demonios antes que la verdad de Dios.

Vuelta a lo básico

Los miembros de las iglesias y aquellos que no son miembros de iglesia, pero que están espiritualmente sedientos, han ansiado una experiencia personal y vital con Jesucristo. Muchos han acudido a otras formas de alabanza además de los cultos.

En 1965 escribí en mi libro *Mundo en llamas* que "a menos que la iglesia recupere rápidamente el mensaje bíblico autoritativo, puede que seamos testigos al espectáculo de millones de cristianos que se salgan de la iglesia institucional para hallar su alimento espiritual". Esto es exactamente lo que ha sucedido.

Calculamos que en la actualidad existen más de dos millones de grupos de oración y grupos de estudio bíblico que se reúnen en los hogares y en las iglesias en los Estados Unidos que no lo estaban haciendo hace diez años. Una de las grandes esperanzas es la de que el liderazgo denominacional comienza a reconocer esto y a promover los estudios bíblicos a un nivel laico con la apropiada dirección.

Nuestras propias preparaciones para las cruzadas han revelado en estos últimos años un aumento en los grupos de oración que se reúnen en las casas. En nuestras más recientes campañas establecimos grupos de oración en cada cuadra de la ciudad. El resultado es que miles de grupos de oración más se reúnen en relación con las cruzadas, en algunas ciudades hay hasta 5.000.

Casi 50 millones de norteamericanos adultos han "nacido de nuevo", y por ello creo que es importante que comprendamos perfectamente de qué se trata todo esto.

Un antiguo clisé

Nada más lejos de la verdad que el antiguo clisé de que "cualquier religión vale, con tal de que seamos sinceros". ¿Qué sucedería si utilizásemos el mismo razonamiento con un bebé? La madre podría decir: "No tengo leche, pero quiero sinceramente alimentar a mi bebé, asi que le pondré coca-cola o un poco de vino en el biberón. Después de todo, también son líquidos". Aunque eso suene ridículo, no lo es más que la respuesta trillada de la "sinceridad".

¿Quién inventó la religión? Volvamos de nuevo a los hermanos. Los dos altares con el fuego, a las afueras del Edén, sirven para ilustrar la diferencia entre la auténtica y la falsa religión. Uno de ellos pertenecía a Abel, que hizo una ofrenda al Señor Dios de los primeros animales nacidos en su rebaño. Abel actuó guiado por amor, adoración, humildad, reverencia y obediencia. Y la Biblia dice que el Señor apreció a Abel y a su ofrenda.

Su hermano mayor, Caín, trajo al altar un sacrificio incruento y barato y la Biblia dice acerca de Dios que "no miró con agrado a Caín y a la ofrenda suya" (Génesis 4:5).

¿Era Dios injusto? Después de todo ¿no intentó Caín agradar a Dios? ¿Acaso no era sincero?

Este relato fue puesto en la Biblia para enseñarnos que existe una manera correcta y una manera equivocada de ponerse en contacto con Dios. Abel trajo un sacrificio de sangre, tal y como Dios había instituido, pero Caín presentó su sacrificio de vegetales de una manera egoísta y superficial, y desobedeció a Dios al no venir con fe. Cuando Dios no bendijo su sacrificio, Caín mató a su hermano. La adoración de Caín era una religiosidad vacía, tan vacía como habría de convertirse su vida. Caín dejó a su familia y caminó por la tierra como un hombre amargado, y clamó al Señor: "Grande es mi castigo para ser soportado" (Génesis 4:13).

Caín era sincero, pero estaba equivocado.

La religión humanística emerge bajo las narices de los grandes hombres de Dios. Mientras Moisés se encontraba en el Monte Sinaí, recibiendo las tablas de la ley "escritas por el dedo de Dios", en el campamento de Israel apareció la falsa religión. La gente dijo a Aarón: "Levántate, haznos dioses que vayan delante de nosotros". Aarón se dejó llevar por la idea de una nueva religión y dijo: "Apartad los zarcillos de oro que están en las orejas de vuestras mujeres, de vuestros hijos y de vuestras hijas y traédmelos". Con este oro derretido hizo el becerro y dijo al pueblo: "Israel, estos son tus dioses, que te sacaron de la tierra de Egipto" (Exodo 32:1-4).

A lo largo de los tiempos otras creencias idólatras han corroído los fundamentos de la verdad. Ya sean antiguos o actuales, todos ellos ofrecían alternativas al camino que la Biblia nos indica para acercarnos a Dios.

Hombres y mujeres han ideado planes para satisfacer sus deseos internos, pero en medio de todas las "religiones" del mundo Dios nos muestra el camino que todos podemos seguir para llegar a El, bajo sus condiciones, en la Biblia.

Para la persona que busca, las respuestas están a la mano.

Capítulo cinco
¿Qué es esta cosa llamada pecado?

EXISTE UN RELATO acerca de un jet que volaba de Chicago a Los Angeles. Cuando el gigantesco avión se niveló a 40.000 pies de altura los pasajeros oyeron una voz por el altoparlante.

"Esta es una grabación. Ustedes gozan del privilegio de ser los primeros que vuelan en un jet completamente electrónico. Este avión despegó electrónicamente y ahora vuela a 40.000 pies de altura electrónicamente y aterrizará en Los Angeles electrónicamente

"Este avión no lleva piloto, ni copiloto, ni ingeniero de vuelo, pero no se preocupen, nada puede fallar. . . fallar. . . fallar. . . fallar. . . fallar. . ."

Algo no funciona en nuestra edad de los aviones jet. Se supone que es una edad científicamente sofisticada y moralmente liberada, pero no lo es. ¿Qué ha fallado?

En las principales ciudades de Norteamerica y de Europa el crimen va en aumento; la ola de crímenes se ha abalanzado sobre el mundo con la fuerza del huracán. Una revista noticiera informaba que en los Estados Unidos "durante los últimos catorce años la proporción de los robos ha aumentado en un 255 % , las violaciones en un 143 % , los asaltos en un 153% y los asesinatos en un 106%".[1]

Las estadísticas son algo frío hasta que nos suceden a nosotros. En una ocasión me dijeron que en una excelente universidad privada, en una pequeña ciudad en el Oeste, las chicas no salen de sus habitaciones por las noches por temor a ser atacadas o violadas. El padre que me dijo esto dijo que había enviado a su hija allí para alejarla de los sectores peligrosos de las grandes ciudades, pero eso era peor.

Ya no existe en ninguna ciudad un sector seguro. Una mujer puede encontrar que la amenazan con una pistola mientras estaciona su coche en uno de los aparcamientos subterráneos o un hombre puede recibir una paliza al salir de la oficina. Los criminales no respetan la edad y con los ciudadanos ancianos que viven en muchos sectores su vida se ha convertido en una horrible pesadilla. En Nueva York, la policía acusó a un grupo de seis adolescentes, uno de los cuales tenía trece años, de haber asesinado a tres ancianos, que no tenían ni un centavo, por asfixia. Un hombre había muerto con su chal de oración embutido en la boca.

El hombre es una contradicción. De un lado se halla el odio, la depravación y el pecado y del otro el cariño, la compasión y el amor. Por un lado el hombre es un pobre pecador y por el otro posee cualidades que lo relacionan con Dios. No es de extrañar que Pablo se refiriese a la enfermedad del hombre como "el misterio de la iniquidad".

A algunas personas no les hace gracia la palabra *pecado*; creen que se aplica a las otras personas, pero no a ellas, pero todo el mundo reconoce que la raza humana está enferma y que sea cual sea la enfermedad que le aqueja, ha afectado todos los aspectos de la vida.

¿Qué es esta cosa llamada pecado? La Confesión de Westminster lo define como "la falta de conformidad con la ley de Dios o la transgresión de ella". El pecado es cualquier cosa contraria a la voluntad de Dios.

El principio del pecado

¿Dónde comenzó el pecado y por qué lo permitió Dios?

La Biblia indica la respuesta a este enigma cuando enseña que el pecado no tuvo su origen en el hombre, sino en el ángel al que conocemos por el nombre de Satanás. No se trataba de un ángel corriente, sino de la más magnífica de las criaturas.

El profeta Ezequiel describe del siguiente modo a este noble ser: "Tú, querubín grande, protector, yo te puse en el santo monte de Dios. . . Perfecto eras en todos tus caminos desde el día que fuiste creado, *hasta que se halló en ti maldad*" (Ezequiel 28: 14, 15, el énfasis es mío). He aquí una visión de dónde comenzó todo. En un pasado desconocido, se halló el pecado en el corazón de esta magnífica criatura del cielo.

El profeta Isaías nos describe una vez más el origen del mal: " ¡Cómo caíste del cielo, oh Lucero [Lucifer], hijo de la mañana! Cortado fuiste por tierra, tú que debilitabas a las naciones. Tú que decías en tu corazón: *Subiré* al cielo; en lo alto, junto a las estrellas de Dios, *levantaré* mi trono, y en el monte del testimonio me *sentaré*, a los lados del norte; sobre las alturas de las nubes *subiré*, y *seré* semejante al Altísimo. Mas tú derribado eres hasta el Seol, a los lados del abismo" (Isaías 14:12-15, el énfasis es mío).

He ahí la escena. El pecado de Lucifer radica en sus cinco declaraciones. Cayó y se convirtió en Satanás por causa de su ambición indebida. ¡Quería ser como Dios! Quería situarse en el mismo plano que El. Este era el orgullo en su más destacada forma. El Nuevo Testamento nos ofrece una visión del pecado del orgullo o vanidad cuando dice que una persona puede "envanecerse cayendo en la condenación del diablo" (1 Timoteo 3:6).

De Satanás a los pecadores

El pecado comenzó con la rebelión de Lucifer y continuó con la rebelión del hombre contra Dios. Con el pecado en lugar de "vivir para Dios", se "vive para uno mismo".

La Biblia explica con toda claridad cómo entró el pecado en la raza humana. En el delicioso jardín del Edén había muchos árboles. Uno de los árboles simbolizaba el conocimiento del bien y el mal, y Dios en su sabiduría dijo: "no comerás". Con uno o dos mordiscos Adán y Eva quebrantaron lo que ellos sabían que era la voluntad de Dios (véase Romanos 5:12-19; Génesis 3:1-8; 1 Timoteo 2:13, 14).

Dios podría habernos creado como robots humanos que respondiesen mecánicamente a su dirección; evidentemente el hombre no podría controlar la respuesta, pero en lugar de ello, Dios nos creó en su imagen y desea que la criatura adore al Creador como una respuesta de amor. Esto puede realizarse cuando se ejercita "el libre albedrío", ya que el amor y la obediencia que se obtienen por la fuerza no satisfacen. Dios quería hijos, no máquinas.

Un pastor amigo nuestro que cenaba con nosotros una noche, nos contó acerca de su hijo, que asistía a una universidad del estado y que se estaba volviendo "muy sabio". "Papá", le dijo un día a su padre, "no estoy seguro de que cuando salga de la universidad pueda seguirte en tu sencilla fe cristiana". Nuestro amigo miró a su hijo a los ojos y le respondió: "Hijo, tienes libertad de acción; una terrible libertad".

Y eso es lo que Dios les dio a Adán y a Eva, y lo que nos da a nosotros, la libertad para escoger. Nuestra "terrible libertad". Dios dio a la humanidad el don de la libertad y nuestros primeros padres pudieron escoger: si amarían a Dios o se rebelarían y construirían su propio mundo sin El. Su prueba fue el árbol del bien y del mal, y fracasaron.

El pecado es rebelión

¿Por qué Adan y Eva, que podrían haber disfrutado con todo el Paraíso, prefirieron rebelarse? La causa de la rebelión fue "los deseos de la carne, los deseos de los ojos y la vanagloria de la vida" (1 Juan 2:16). Y esta fue la lascivia a la que Eva se sometió. "Y vio la mujer que el árbol era bueno para comer, y que era agradable a los ojos, y árbol codiciable para alcanzar la sabiduría; y tomó de su fruto y comió; y dio también a su marido, el cual comió así como ella" (Génesis 3:6).

Siglos después, Cristo se encontró frente a las mismas tres tentaciones en el desierto. El venció cada una de ellas y así nos mostró que es posible resistir a las tentaciones de Satanás (Mateo 4:1-11).

Los Diez Mandamientos nos dicen que no debemos codiciar o dejarnos llevar por la lascivia. Sin embargo, toda ley moral es más que una prueba, es algo para nuestro propio bien. Toda ley dada por Dios es para beneficio nuestro. Si una persona la quebranta, no solamente se está rebelando en contra de Dios, sino que se está dañando a sí misma. Dios dio "la ley" porque ama al hombre y es para el bien del hombre. Los mandamientos de Dios fueron dados para proteger y promover la felicidad del hombre, no para coartarla. Dios desea lo mejor para el hombre, y pedirle a Dios que revise sus mandamientos sería pedirle que dejase de amar al hombre.

Por lo general los hijos acusan a sus padres diciéndoles "que no comprenden" y que son demasiado severos. Cuando un padre le dice a su hijo o hija adolescente: "Regresa a casa a las once y díme exactamente dónde vas a estar", está protegiendo a su hijo, no lo está castigando. Dios es un padre amoroso.

Cuando Adán y Eva quebrantaron el mandamiento dado por Dios, murieron espiritualmente y tuvieron que enfrentarse con la muerte eterna. Las consecuencias de ese acto fueron inmediatas y terribles. El pecado fue y continúa siendo un hecho tenaz en la vida.

En nuestro universo vivimos bajo la ley de Dios. En la esfera de lo físico, los planetas se mueven con una precisión de una milésima de segundo; en las galaxias no existe la casualidad. Vemos en la naturaleza que todo forma parte de un plan que es armonioso, ordenado y obediente. ¿Podría un Dios que hizo el universo físico, ser menos estricto en el orden superior de lo espiritual y lo moral? Dios nos ama con un amor eterno, pero Dios no puede y no está dispuesto a aprobar el desorden. Por lo tanto, El ha establecido unas leyes espirituales que, si se obedecen, producen armonía y satisfacción, pero, si se desobedecen, traen discordia y desorden.

¿Cuáles fueron los resultados del pecado de Adán y Eva? Cuando Satanás así como Adán desafiaron la ley de Dios, no la quebrantaron, sino que se arruinaron en ella. La vida de belleza, de libertad y de comunión que Adán había conocido se había acabado y su pecado se convirtió en una muerte en vida. La naturaleza fue maldecida y el veneno del pecado infectó a toda la familia humana. Toda la creación sucumbió a la falta de armonía y la tierra se convirtió en un planeta en rebelión.

Errar el blanco

Una de las traducciones del término *pecado* en el Nuevo Testamento significa "errar el blanco". El pecar consiste en no vivir conforme a lo establecido por Dios. Todos nosotros erramos el blanco, no hay ni una sola persona que sea capaz de cumplir todas las leyes de Dios todo el tiempo.

Para algunas personas, incluso las normas establecidas por el mundo les resultan inalcanzables. Uno de los más intensos y emocionantes espectáculos que jamás hemos visto es las Olimpiadas Mundiales. Los atletas que se han venido entrenando durante años, disciplinando sus mentes y sus cuerpos para alcanzar aún mayores metas, con frecuencia no llegan a alcanzar esa meta. Una de las más famosas patinadoras artísticas dijo que lo que más temía era una caída que arruinase su actuación. Esta muchacha dijo: "Pensar en el tiempo que le he dedicado a esto y cuánto me han ayudado otras personas. Un solo error y todo se perdería".[2]

Nosotros tropezamos continuamente en nuestra vida espiritual. No hay manera posible de que nuestra actuación sea perfecta. El rey David dijo: "Todos se desviaron, a una se han corrompido; no hay quien haga lo bueno, no hay ni siquiera uno" (Salmo 14:3).

El profeta Isaías confesó: "Todos nosotros nos descarriamos como ovejas, cada cual se apartó por su camino" (Isaías 53:6).

Todos hemos sido tocados por el pecado de Adán. David dijo: "He aquí, en maldad he sido formado, y en pecado me concibió mi madre" (Salmo 51:5). Esto no significa que naciera de una relación prematrimonial, sino que había heredado de sus padres la tendencia al pecado.

"¿Por qué hemos de ser castigados por lo que hizo Adán?" Piensa en ello. ¿Habrías tú actuado mejor de lo que lo hizo Adán? Yo sé que no lo hubiese hecho mejor.

Todos somos pecadores porque así lo quisimos. Cuando alcanzamos la edad en que somos responsables y tenemos que escoger entre el bien y el mal, con frecuencia erramos. Podemos optar por enfurecernos, por mentir o por actuar con egoísmo. Puede que contemos chismes o que calumniemos el carácter de alguien. Ninguno de nosotros puede realmente confiar en su corazón, más de lo que podríamos confiar en un león. En una reserva para animales en el Africa Oriental se permite a los leones merodear libremente como si se encontrasen en su propio medio. La gente va con sus coches o jeeps a lo largo del sector para contemplar a los leones, pero se les advierte que no se acerquen a ellos. Una mujer bajó la ventanilla del coche para ver mejor y sin aviso el león atacó, hiriéndola críticamente. El león parecía tan manso y actuaba de un modo tan dócil, pero a pesar de ello mostró su furia en un momento pavoroso.

La Biblia aplica este principio de esta manera: "el pecado está a la puerta" (Génesis 4:7). La mayoría de nosotros somos capaces de casi cualquier cosa, dada la circunstancia apropiada. David fue un ejemplo clásico. Bajo las circunstancias del deseo carnal tomó a una mujer que le pertenecía a otro hombre, y después se aseguró de que su marido fuese asesinado colocándolo en primera línea en la batalla.

Puede que tú digas: "Usted hace creer que todo el mundo es malísimo y eso no es realmente verdad". Claro que no lo es. Una persona puede ser un individuo muy moral y con todo y con eso le puede faltar el amor a Dios, que es el fundamental requerimiento de la ley.

Debido a que no somos capaces de cumplir lo que Dios requiere de nosotros, somos culpables y nos hallamos bajo condenación. El ser culpables significa que merecemos el castigo. La misma santidad de Dios reacciona en contra del pecado: "Porque la ira de Dios se revela desde el cielo contra toda impiedad e injusticia de los hombres. . ." (Romanos 1:18).

¿Culpable de qué?

La Biblia dice que el pecar es no alcanzar la gloria de Dios. Muchas personas no se dan cuenta de la naturaleza del blanco, así que no comprenden por qué les dicen que están errándolo. Imaginemos que alguien te vendase los ojos y te colocase el vendaje tan apretado que te encontraras completamente a oscuras. Entonces te dicen que al otro lado de la habitación hay un blanco de rehiletes y que debes dar sobre él con el dardo. Tú lo lanzas exactamente en la dirección que te han indicado, pero cuando te quitan el vendaje te das cuenta de que el dardo ha ido a parar sobre la pantalla de una lámpara, a un metro del blanco. Apuntaste en la dirección correcta, pero fallaste.

Ahí es donde el mundo está hoy en día, errando el blanco. Eso fue lo que quiso decir Salomón cuando dijo: "Hay camino que al hombre le parece derecho; pero su fin es camino de muerte" (Proverbios 14:12).

Cuando Dios comienza a quitar el vendaje de nuestros ojos, de modo que penetra un poco de luz, podemos comenzar a ver por lo menos el perfil del blanco. Podemos ver, por ejemplo, cómo Dios le estaba empezando a enseñar un sentido general de la dirección a una muchacha que me escribió diciendo: "No estoy metida en problemas ni nada de eso, pero necesito la ayuda de Jesucristo. Este es mi primer intento por llegarme a El. Tengo diecisiete años y deseo seriamente considerarme una cristiana. Estoy buscando. . . por favor no me decepcione".

Su carta muestra que esta muchacha siente que "algo" no anda bien en su vida actual. Todavía no puede precisar lo que está mal en su vida y lo que está bien en la vida de Cristo, pero su vida sin Cristo posee un cierto olor a mortandad, y quiere reemplazarlo con la fragancia de Cristo. Cuando ella dice que "no está metida en problemas", quiere decir que no la han arrestado, o que no se siente avergonzada ante la comunidad, pero siente una intranquilidad en su corazón.

Para ayudarnos a ver que algo anda terriblemente mal en nuestras vidas y que la muerte, esto es la muerte espiritual, será el resultado, Dios nos da "la ley", es decir, una serie de normas para avivar nuestro juicio moral de modo que podamos reconocer el pecado. Los Diez Mandamientos forman la columna vertebral de la ley. Son como una gigantesca máquina radiográfica que muestra la estructura ósea de nuestro pecado. Las primeras cuatro radiografías, se refieren a nuestra relación directa con Dios. Las últimas seis son las que muestran nuestra relación con los demás.

Interpretación de las radiografías

"*No tendrás dioses ajenos delante de mí*" (Exodo 20:3). Otro dios no es necesariamente un Buda de cobre o un totem tallado. Cualquier cosa a la que le dediquemos nuestro mayor interés es nuestro dios. Los deportes pueden ser un dios, o el trabajo, o el dinero. Para algunos el sexo puede ser un dios, mientras que el viajar puede serlo para otros. Pero nuestro mayor interés debiera ser Dios. Sólo El merece nuestra adoración. Jesús dijo que el gran mandamiento era amar a Dios con todo nuestro corazón, con toda nuestra alma, con toda nuestra mente y con todas nuestras fuerzas. Si fuésemos capaces de hacer esto, estaríamos demostrando que no tenemos otro dios más que el Señor.

"*No te harás imagen*" (Exodo 20:4). El primer mandamiento trataba de quién hemos de adorar, y éste trata de cómo. Se nos dice que adoremos con sinceridad, con un corazón para Dios. "El hombre mira lo que está delante de sus ojos, pero Jehová mira el corazón" (1 Samuel 16:7). Cuando nos sentamos en una iglesia, llenos de piedad, pero ignoramos a Dios, estamos haciendo una imagen del edificio de la iglesia.

"*No tomarás el nombre de Jehová tu Dios en vano*" (Exodo 20:7). Esto no se aplica solamente a jurar en vano, sino también al usar el nombre de la deidad, como Dios o Señor, sin estar pensando en el propio Dios. Si nos dedicamos a cantar un himno sin prestarle atención, o nos llamamos cristianos sin conocer a Cristo personalmente, estamos tomando el nombre del Señor en vano.

Existe un relato acerca de Alejandro Magno que se encontró con un individuo de mala reputación cuyo nombre era también Alejandro. Alejandro Magno le dijo: "O cambias tu forma de vida o te cambias el nombre".

"*Acuérdate del día de reposo para santificarlo*" (Exodo 20:8). La Escritura pone a un lado un día de cada siete para adoración y reposo. Jesús dijo: "El día de reposo fue hecho por causa del hombre, y no el hombre por causa del día de reposo" (Marcos 2:27). Eso significa que necesitamos ese día especial. Dios, en su sabiduría, nos dice que nuestros cuerpos lo necesitan para reposar, del mismo modo que nuestros espíritus lo necesitan para adorar. La costumbre de convertir los fines de semana en largos períodos de esparcimiento y distracción con exclusión de la adoración significa que perdemos la ventaja tanto del esparcimiento como de la adoración.

Sabemos que una nación o un individuo que trabaja siete días a la semana, sufre física, sicológica y espiritualmente. Toda maquinaria requiere un descanso de vez en cuando.

"*Honra a tu padre y a tu madre*" (Exodo 20;12). Este pasaje no limita la edad para dicho honor. Además, tampoco dice que los padres han de ser honorables para que los honremos. Esto no quiere decir necesariamente que debemos "obedecer" a aquellos padres que sean deshonrosos. No sólo debemos honrar a nuestros padres cuando somos niños, a fin de obedecer a Dios, sino que debemos hacerlo mientras nuestros padres vivan. El honrar se puede hacer de muchas maneras: por medio del cariño, del humor, de la ayuda económica, del respeto. Y no obstante, las palabras duras se oyen con más frecuencia en el hogar que en ningún otro sitio. Decimos cosas a nuestros padres que nunca diríamos a nuestros amigos, en el trabajo o en la iglesia.

"*No asesinarás*" (Exodo 20:13). En la antigua traducción de este mandamiento se utilizaba la palabra *matarás*, pero el original hebreo se refiere realmente al asesinato. El acto externo del homicidio es el acto final de muchas emociones, y detrás de él se escudan las actitudes del enfado, de la envidia y del odio. Jesús dijo: "Oísteis que fue dicho a los antiguos: No matarás; y cualquiera que matare será culpable de juicio. Pero yo os digo que cualquiera que se enoje contra su hermano, será culpable de juicio; y cualquiera que diga: Necio, a su hermano, será culpable ante el concilio; y cualquiera que le diga: Fatuo, quedará expuesto al infierno de fuego" (Mateo 5:21, 22).

¿Puede alguien decir que nunca se ha sentido furioso contra nadie? Todos estamos condenados ante esta ley, incluso si nunca hemos tomado la vida de nadie por la fuerza.

"*No cometerás adulterio*" (Exodo 20:14). Un erudito dijo: "Una de las cosas más extraordinarias es que en las religiones no cristianas la inmoralidad y la obscenidad florecen una y otra vez bajo la mismísima protección de la religión. Se ha dicho, y se ha dicho con verdad, que la castidad es la virtud completamente nueva que el cristianismo ha traído al mundo".[3] Aunque eso puede ser cierto, este mandamiento va más allá de la castidad. Ello supone más que el deshonrar a la esposa o al marido a tener relaciones sexuales con otros; trata de la mentalidad que se ocupa de lo sexual. Significa hasta mirar a un hombre o a una mujer con una actitud de deseo o de lascivia. Para Dios, lo puro es primeramente asunto del corazón y después de la acción.

Puesto en esos términos puede que tú digas: "Pero eso es absolutamente ridículo, nadie puede vivir conforme a ese mandamiento", y tendrías razón.

"*No hablarás contra tu prójimo falso testimonio*" (Exodo 20:16). Cuando pensamos en un testigo nos lo imaginamos ante un tribunal. Si fuésemos a mentir al prestar declaración: "Pero, usía, mi perro no tuvo otra que morder a mi vecino. Este comenzó a golpear al animal con un palo así que lo atacó en defensa propia", cuando, de hecho, tu perro le hubiese pegado un mordisco a la pierna del vecino, sin la menor provocación, estarías hablando falso testimonio.

¿Pero qué diremos si chismeas de una manera "inofensiva"? ¡Estás quebrantando de igual el mandamiento!

"*No codiciarás*" (Exodo 20:17). Cuando tomamos algo que pertenece a otra persona, eso es robar. Es un hecho. El codiciar es una actitud. Cuando deseamos algo que pertenece a otra persona, eso es codiciar. ¿Cuántos matrimonios han acabado en el divorcio porque el hombre reemplazó el pensar en su propia esposa con pensamientos que le hacían desear la mujer de su prójimo? Se nos dice que no codiciemos nada y eso significa que no debemos codiciar ni la nueva casa del vecino, ni su coche, ni su televisión ni el "camper" que tiene frente a la casa.

Resultado de las radiografías

¿Puede alguien leer los Diez Mandamientos con discernimiento y no sentirse condenado por ellos? Ellos revelan nuestro corazón. El apóstol Santiago comentó que el transgredir uno solo de los mandamientos sería suficiente como para destruirnos. Si nos hallamos suspendidos sobre un pozo por una cadena de diez eslabones ¿cuántos eslabones es preciso que se rompan para que nos caigamos al pozo? "Porque cualquiera que guardare toda la ley, pero ofendiere en un punto, se hace culpable de todos" (Santiago 2:10).

La Biblia y nuestras conciencias nos dicen que hemos errado seriamente el blanco y que somos pecadores. ¿Qué hace un Dios santo? ¿Cómo se ocupa Dios de nuestro pecado?

He aquí una visión de ello en las palabras de un joven que se dio cuenta, con dolor, de este mandamiento "No hurtarás". Dijo: "Mi vida no fue un lecho de rosas. Antes de llegar a los trece años yo era un ladrón en mi corazón, en mis palabras y en mis acciones. Fui arrestado muchas veces y pasé algún tiempo en un reformatorio para niños y aún no hacía una semana que había salido de él cuando ya estaba robando otra vez". Dijo que su familia lo había dejado por inútil y pensaba que su futuro estaba destruido. Una noche escuchó el evangelio en la televisión, encontró una Biblia, y comenzó a leerla. Como resultado de ello le pidió a Cristo que le perdonara su pasado y ahora tiene la mirada puesta en Cristo para poner un nuevo fundamento y hallar un nuevo futuro.

¿Cómo puede Dios perdonarnos? ¿Qué sucede si el pecado se convierte en algo habitual en nuestras vidas? ¿Qué sucede si nos encontramos atrapados por el síndrome del pecado? ¿Hay alguna esperanza?

¡Si no hubiese esperanza yo no estaría escribiendo este libro! ¡Si no hubiese respuestas probablemente tú no estarías leyéndolo tampoco!

Capítulo seis
¿Posee Dios una cura para la enfermedad espiritual?

UN DOCTOR EN AUSTRALIA me contó acerca de una conversación entre un hombre y su barbero. Mientras las tijeras cortaban, el barbero dijo: "Hmm. . . veo que tiene usted una úlcera en el labio".

"Sí", dijo el hombre, "mis cigarrilos son los que la han producido".

"El caso es", dijo el barbero, "que no parece que vaya a curarse".

"Oh sí, ya se curará", contestó el hombre tranquilamente.

Al cabo de un mes el hombre volvió a la barbería con el labio cortado y con mal aspecto.

"No se preocupe por ello", le dijo al barbero, "ahora utilizo una boquilla y pronto se curará".

El barbero se sentía preocupado por su cliente, de modo que obtuvo algunas fotografías médicas que mostraban el aspecto del cáncer del labio y le pidió a su amigo que las comparase en el espejo con su propio labio.

"Sí, es cierto que se parece mucho", confesó el hombre, "pero no estoy preocupado".

Al tercer mes el hombre no se presentó en la barbería para

su corte de pelo habitual. Cuando el barbero telefoneó a su casa para preguntar por él le dijeron: "¿No lo sabía usted? Murió de cáncer hace dos días".

El pecado es igual que el cáncer, destruye poco a poco. Lentamente, sin que nos demos cuenta de su ataque insidioso, progresa hasta que finalmente se pronuncia el veredicto: enfermo de muerte.

Un hombre nos estaba describiendo cómo había sido educado en un hogar europeo, donde se adoraba a Dios, y cómo había venido a los Estados Unidos cuando era joven en busca de fortuna, se había convertido a Cristo, pero luego se había apartado de sus caminos. Una tentación dio pie a otra tentación hasta que finalmente se encontró en lo que él creía una condición desesperada. Yo no me olvidaré nunca de cómo describió el proceso. "Era como encontrarse en el océano cuando hay una fuerte resaca", dijo. "Uno no se da cuenta de cuánto se ha alejado de la orilla hasta que de repente se encuentra en un punto donde no toca fondo y trata de nadar desesperadamente, pero no logra vencer la marea contraria".

Pero a menos que conozcamos algunas de las señales del peligro ¿cómo podremos buscar ayuda? Podemos encontrar la ayuda que ofrece la Biblia cuando sabemos las partes de la persona que el pecado ataca y corrompe.

Ataque mental

Una persona puede ser brillante en algunos aspectos, pero inadecuada en lo que se refiere a las realidades espirituales. La Biblia nos enseña que sobre nuestras mentes hay como un velo y que antes de que podamos conocer a Dios es preciso levantar el velo. Sin esa visión espiritual no nos es posible venir a Dios.

Puede que hayas oído a alguien preguntar: "¿Cómo puede una persona inteligente creer en la Biblia y en todos esos mitos y contradicciones?" (lo cual da a entender que el evangelio de Jesucristo es antiintelectual). Dicha inferencia es contraria a la verdad. Es preciso utilizar la mente para comprender, pero cuando la mente se halla enferma por el pecado está nublada y confusa.

Joel Quiñones era el vivo ejemplo de la persona cuya mente se encontraba bajo ataque. Yo lo conocí en San Diego, California y allí escuché su sorprendente historia.

Joel fue encarcelado por primera vez a los ocho años por tratar de matar a un hombre sádico que le había dado una paliza y lo había quemado con cigarrillos. Cuando Joel fue puesto en libertad, salió hecho un montón de odio y desde entonces hizo todo lo que pudo para mostrar su desprecio hacia la sociedad. Como resultado de ello Joel se encontró en la prisión de San Quintín a los diecinueve años y pasó allí los próximos once años. Lo entregaron a los siquiatras de la prisión que lo examinaron, lo sometieron a tratamientos por electroshock y acabaron por diagnosticar que era un "demente criminal".

Colocaron a Joel con los incorregibles. Cuando los alimentaban, ponían la comida sobre lo que parecía una pala larga, con el mango lo suficientemente largo como para poder meterlo por debajo de dos puertas de seguridad. "No se alimenta ni siquiera a un tigre de esa manera", nos dijo Joel, "pero así era como nos daban la comida".

Después de todos esos años en San Quintín, se decidió deshacerse de los extranjeros indeseables y Joel, junto con una serie de mexicanos más, fue llevado al otro lado de la frontera y puesto en libertad. Joel tenía una madre cristiana, que trabajaba como cocinera en un instituto bíblico, que se hallaba en la sala de justicia cuando Joel fue condenado por primera vez. Entonces la mujer le había dicho: "Joel, esto no es el fin; Jesús tiene trabajo para ti".

Cuando fue puesto en libertad en México su madre se hallaba allí para recibirlo. Abrazándolo, le dijo: "Joel, necesitas al Señor Jesús; necesitas pedirle que te perdone tus pecados, que te dé un corazón nuevo y una vida nueva".

Joel luchó con esto, pero antes de que el Señor terminara con él fue transformado. Fue a un instituto bíblico, se casó con una de las exalumnas y en la actualidad es capellán de una prisión en México. Ha ganado a tantos reclusos para Cristo que se ha propuesto construir una casa, una "Ciudad de Refugio" a la que puedan ir los presos para ser rehabilitados antes de regresar a la vida normal.

El pecado había afectado la mente de Joel, pero el poder transformador de Cristo le había dado nuevos dones.

Mientras escribo esto, estoy mirando un cuchillo que tiene el mango hecho de hueso y con una hoja de cinco pulgadas, que antes perteneció a José Medina. La historia de José es una de las más increíbles, cómicas e inspiradoras demostraciones del poder de Dios en lo que una persona corriente hubiese considerado una vida sin esperanza. ¿Ataque mental? José sencillamente no era capaz de ver las cosas con claridad.

José se crió en un gueto del Bronx. Su madre y sus dos abuelas eran médiums espiritistas. Desde la infancia las calles de Nueva York habían sido su hogar y la guerra entre pandillas, el pelear a cuchillo, el robar y mentir eran sencillamente una forma de vida. Él era uno de esos desilusionados y rebeldes jóvenes de los años sesenta, un drogadicto y un ladrón experto.

A pesar de ello José fue a una reunión en la que Akbar Haqq, uno de nuestros evangelistas asociados, habló. Antes de que pasase la tarde, José entregó su corazón a Cristo. El día después de su conversión, uno de sus mejores amigos intentó conseguir que José fuese con él a buscar drogas, pero José no quería ir. El amigo sacó un cuchillo y amenazó con apuñalar a José, pero ese fue un grave error. José era pequeño de estatura, pero rápido como el rayo con el cuchillo, y antes de que su amigo supiese lo que pasaba, le había hundido el cuchillo (sí, el mismo que yo tengo sobre mi escritorio) a su amigo. El muchacho al que atacó pasó dos semanas en el hospital.

José no venía de un hogar cristiano al que pudiese acudir en sus altibajos espirituales. Se matriculó en una pequeña universidad cerca de nosotros, pero antes de que acabase el año se retiró. Aún no estoy muy seguro de por qué lo hizo, pero creo que tenía la vaga noción de regresar con el fin de compartir su fe con sus amigos en el Bronx.

Mi esposa le habló a José antes de que se marchara y le rogó que viniese al Madison Square Garden, donde íbamos a tener una reunión. Después averigüé que José había reunido a algunos de sus más endurecidos compañeros y que habían llegado al Garden a las 7:30 sólo para encontrarse con que lo habían cerrado porque estaba lleno, y el policía no lo dejó pasar. Esa noche habían amenazado mi vida y los policías no miraban con muy buenos ojos a los individuos que parecían sospechosos. José y sus amigos encajaban perfectamente en esa descripción.

Se reunieron en conferencia y decidieron arremeter contra la policía. Lograron llegar al piso de arriba del Garden, pero, de repente, se encontraron cara a cara con un puñado de policías vestidos de civil, que avanzaban sobre ellos. Cuando quisieron correr en dirección opuesta, se encontraron con otra formidable muralla de policías. Fueron echados del Garden sin más ceremonial. Cuando me enteré de eso más tarde pensé: "¡Oh no! ¡Precisamente aquellos a quienes intentábamos alcanzar!"

Sin embargo, José no se dio por vencido y trajo a su hermana y a su hermano a la noche siguiente y ambos recibieron a Cristo.

José tuvo muchos problemas durante un tiempo para establecer un orden de valores. En cierta ocasión llamó a Ruth y le dijo que tenía que verla. Cuando llegó, ella supo que algo andaba mal y le preguntó: "¿Qué has hecho esta vez, José?"

"Ruth, he robado una gasolinera".

"Oh José, ¿Por qué has hecho eso?"

"Bueno, resulta que conozco un muchacho. La cosa es que necesitaba algún dinero y él nunca había asaltado una gasolinera. Caray, Ruth, sentí que era mi obligación cristiana ayudarle".

Ruth le preguntó qué cantidad había robado y le preguntó si su amigo era cristiano. José dijo que no lo era y Ruth le explicó a José que él tendría que ser responsable de devolver todo el dinero. José la miró como si ella le hubiese pegado un puñetazo en el estómago. Entonces ella le preguntó de sopetón si tenía en su posesión alguna otra cosa que hubiese robado. El la miró sorprendido y exclamó, como si esa hubiese sido la pregunta más estúpida del mundo: "¡Todo lo que poseo!"

José devolvió todo lo que había robado. Después de avanzar y retroceder varias veces en su crecimiento cristiano, más de lo que puedo relatar, fue finalmente admitido en el Columbia Bible College. En su último año fue vicepresidente del estudiantado y en la actualidad cursa estudios avanzados allí con un conocimiento sorprendente y es amante de la Biblia.

Hace unos pocos fines de semana vino a visitarnos y el pastor presbiteriano de nuestra comunidad, Calvin Thielman, le pidió que diese su testimonio y que hablase acerca de su ministerio. José contó cómo se relacionaba con los drogadictos, los que han hecho abandono de sus estudios, los rebeldes. Su relato estaba salpicado de tal ingenio, humor y compasión, que los que lo escuchaban se convencieron de que "nadie es un caso perdido".

Sólo aquellos que habían conocido a José desde el principio pueden apreciar enteramente las maravillas del nuevo nacimiento en la vida de este joven. Su mente había sido atacada de tal modo por el pecado que fue preciso que pasara mucho tiempo antes de completarse el proceso de curación. Nacemos de nuevo como bebés, no como cristianos maduros, y los bebés requieren mucho amor y paciencia.

La Biblia enseña que el pecado afecta a la mente, tanto si se trata de la mente de una persona que posee una inteligencia superior como si se trata de una persona corriente. Una persona puede ser intelectualmente brillante, pero espiritualmente ignorante. "Pero el hombre natural no percibe las cosas que son del Espíritu de Dios. . . y no las puede entender, porque se han de discernir espiritualmente" (1 Corintios 2:14).

Una mente intelectual puede convertirse en una mente de primera clase cuando Cristo penetra en el corazón. Gerhard Dirks, uno de los hombres más brillantes del mundo, que según se dice tiene un cociente mental de 208 con más de 140 patentes con IBM y ha intentado incluso reconstruir teóricamente el cerebro humano, se quedó completamente sorprendido y agitado, sin embargo, cuando se enfrentó con la complejidad y lo tremendamente imposible de semejante reconstrucción. No supo qué hacer o a dónde huir. No le quedaban más que dos caminos: o bien el cerebro humano está ahí por pura casualidad o por un plan inteligente. Cuando se enfrentó con la alternativa, supo que no le quedaba más que un camino a seguir y se convirtió en un creyente en Dios, como le fue revelado por medio de Jesucristo, cuyo intelecto él no podía sobrepasar.

El doctor Boris Botsenko, un sobresaliente físico y matemático ruso, asistía a una conferencia de científicos en Edmonton, Canadá, cuando vio una Biblia de los Gedeones en su hotel. La leyó y por medio de ella aceptó a Jesucristo y nació de nuevo. En la actualidad se encuentra en el departamento de investigación de la universidad de Toronto.

Ataque a la voluntad

El pecado ataca otra faceta de nuestro ser: la voluntad. Jesús dijo: “Todo aquel que hace pecado, esclavo es del pecado” (Juan 8:34). Incluso en aquellos países donde hay libertad política, hay millones que viven bajo la tiranía del orgullo, de los celos o de los prejuicios. Otros muchos son esclavos del alcohol, de los barbitúricos o de los narcóticos. Poseen rasgos o están consumidos por deseos que odiàn, pero se sienten impotentes en sus garras. Desean ser libres, y algunos de ellos buscan la libertad por caminos que otros hombres les ofrecen, pero Cristo dijo: “Conoceréis la verdad, y la verdad os hará libres” (Juan 8:32). Cristo es la verdad.

He conocido a muchas personas que se han liberado de la esclavitud de la voluntad y del deseo. El 9 de mayo de 1972, en una pequeña iglesia, en las afueras de Nashville, Tennessee, un pastor hizo un llamamiento y un hombre llamado Johnny Cash se puso en pie y avanzó por el pasillo y se arrodilló frente al altar de la iglesia. Johnny Cash dice que ese día entregó su vida a Jesucristo. He ahí un hombre que había sufrido a causa de las drogas y que había estado en la cárcel y que se había convertido en un héroe de la música folklórica. En la actualidad es un poder para el bien y está siendo utilizado en la causa de Cristo.

Tengo en mi posesión una pipa de hachís como recuerdo de un joven que era esclavo de las drogas. Su vida se había convertido en un terrible lío y también la vida de la muchacha que amaba. Como resultado, condujo su coche hasta llegar a un aparcamiento solitario y desierto donde se abrió las muñecas. Evidentemente no debió de hacerlo muy bien, porque la sangre no salía lo suficientemente rápido y pensó que a ese paso iba a tardar demasiado tiempo en morirse, así que se metió debajo del tubo de escape de su coche, con el motor aún en marcha, se cubrió con una manta y procedió a respirar el gas.

Dijo que mientras se estaba quedando atontado por las emanaciones pronunció una oración pidiendo a Dios que le perdonase por lo que estaba haciendo. De repente un horrible sentimiento lúgubre se apoderó de él y supo que lo que iba a hacer no era del agrado de Dios. En su debilidad, con las muñecas que le sangraban y la mente drogada, condujo hasta la casa del pastor. El pastor lo llevó al hospital. Una vez que el joven fue atendido, el pastor le explicó que solamente Cristo puede expiar nuestros pecados y librarnos de la culpabilidad y darnos el gozo del perdón.

Este joven es ahora un hombre felizmente casado y ejerce una influencia positiva sobre las vidas de otros.

El odio sin resolver es una tiranía que puede esclavizar a cualquier persona al pecado, al atacar a la voluntad. Hace sólo unos pocos años el doctor William P. Wilson, que era entonces catedrático de psiquiatría en el Centro Médico de la universidad Duke, sistemáticamente les quitaba las Biblias a los pacientes del centro, pero su vida y su carrera han sido transformadas por el poder de Jesucristo, y ahora utiliza la visión que ha obtenido del evangelio al tratar a sus pacientes. Tiene ejemplares de la Biblia en su oficina y las regala. El doctor Wilson dice: "Una de las causas más importantes de la enfermedad mental es la culpabilidad sin resolver. Algunos de los sentimientos producidos por la culpa son sentimientos de vergüenza, el sentirse imperfecto, el errar el blanco, no estar a la altura de las circunstancias. La respuesta a la culpabilidad es la gracia y el nuevo nacimiento. El nuevo nacimiento conduce al perdón del pecado".

El perdón es algo difícil de creer para muchos. El doctor Warren Wiersbe de Chicago llama al perdón "el milagro más grande de la Biblia".

Tengo una carta de un joven que dijo: "En 1971 yo era un

traficante de drogas y había interrumpido mis estudios en la universidad Northwestern. Durante la cruzada suya en Chicago, yo pasé al frente cuando usted hizo el llamamiento y oré al Señor para que me salvase, aunque personalmente no me sentía mal por mis prácticas tan alejadas de Dios. También le pedí que me perdonase mis pecados (yo podía admitirlos intelectualmente, pero no los sentía personalmente) y que se diese a conocer de una manera personal.

"Yo esperaba que un rayo del cielo me tirara al suelo o que Dios me quebrantase mentalmente para que El pudiese utilizarme para su gloria. No es necesario añadir que no lo hizo. Comencé a sentirme bastante decepcionado y un poco asustado y pensé si este asunto de Dios podría después de todo resultar ser una engañifa. En esos momentos un hombre de mediana edad, con el pelo corto, que llevaba puesto un traje, y que era un consejero, con su Biblia a cuestas, se me acercó y me puso un letrerito de Jesús en la camisa y me dio la mano, mientras me decía: 'Joven, que Dios lo bendiga'. ¡Imagínese! Este hombre, que formaba parte del establecimiento, estrechándome la mano a mí, un hippy drogadicto. El amor de Dios, que se mostraba en él, me hizo ver que Jesús me amaba sin importar cómo iba yo vestido o cómo abusaba de la sociedad. Ese sencillo acto me conmovió y de repente me di cuenta de la sencillez de la salvación de Dios. El no quería hacerme pasar por dolor ni quería quebrantarme mentalmente, ¡todo lo que quería que yo hiciese es que recibiera a su Hijo como acababa de hacer!"

Cuando fracasa la conciencia

El pecado no solamente afecta a la mente y a la voluntad, sino a la conciencia. La persona tarda mucho en detectar el pecado que se aproxima. Es como decir una mentira; la primera vez que dices un embuste te preocupa, pero a base de repetirlos la conciencia ya no es tu guía y pronto la mentira está tejida con tal fuerza que tú te convences de que es la verdad. Ya no posees la sensibilidad ante aquellas cosas que sabes que están mal.

Un día José Medina, al que me referí al principio del capítulo, llamó a Ruth desde una cabina telefónica y le dijo: "Ruth, no estoy borracho, pero sencillamente quería decirte algo".

Ruth le preguntó qué hacía en una cabina telefónica. Explicó que había salido en coche con un amigo que llevaba consigo una botella de whisky. José explicó que su amigo no tenía carnet de conducir del Estado de Carolina del Norte y no debía conducir el coche, especialmente bebido. Así que dijo José, con su típica lógica: "Ruth, pensé que era mi deber cristiano beberme la botella de whisky en su lugar".

La paciencia de mi esposa nunca cesa de sorprenderme. Ella le dijo: "José, tú te has bebido esa botella de whisky porque te ha dado la gana".

Hubo una larga pausa, y entonces dijo: "Sí, Ruth, tienes razón".

José había aprendido a llamar a lo malo "bueno", sabía mentir, engañar y salir de cualquier situación mediante una explicación racional. De no haber sido por la gracia de Dios, hoy seguiría siendo así.

Los resultados que produce el no saber distinguir entre el bien y el mal están reflejados en todas las Escrituras. Cuando David primeramente miró a Betsabé, hubo una serie de sucesos desde el adulterio al engaño y al asesinato. A David le fueron perdonados sus pecados, pero tuvo que pagar las consecuencias naturales. El recogió una amarga cosecha y su reinado se nubló con incesantes problemas.

En vista del modo en que permitimos que nuestras conciencias se aletarguen, resulta sorprendente que Dios sea tan paciente. La Biblia dice: "El Señor no retarda su promesa, según algunos la tienen por tardanza, sino que es paciente para con nosotros, no queriendo que ninguno perezca, sino que todos procedan al arrepentimiento" (2 Pedro 3:9).

No importa cuan paciente sea Dios, también es justo. Cuando el hombre endurece su corazón, Dios continúa hablando, pero el hombre no puede oír. Génesis 6:3 dice: "No contenderá mi espíritu con el hombre para siempre". A la postre, si Dios ve que el hombre no está dispuesto a arrepentirse, "hay pecado de muerte" (1 Juan 5:16). Esto se refiere a la blasfemia contra el Espíritu Santo, que es el rechazo final del plan de salvación de Dios, y también lo describe Hebreos 6:4-6:

"Porque es imposible que los que una vez fueron iluminados y gustaron del don celestial, y fueron hechos partícipes del Espíritu Santo, y asimismo gustaron de la buena palabra de Dios y los poderes del siglo venidero, y racayeron, sean otra vez renovados para arrepentimiento, crucificando de nuevo para sí mismos al Hijo de Dios y exponiéndole a vituperio".

Cuando la conciencia del hombre deja de funcionar, el hombre utiliza toda clase de excusas para justificar sus acciones. Echa la culpa a su familia, a sus socios en el negocio, a que las cosas no le van bien, cualquier cosa. Puede hacer fraude en su declaración de impuestos porque las leyes son injustas; puede engañar a la esposa (o la esposa puede ser infiel al marido) porque la otra persona actúa con frialdad o es una inconsiderada. El bien y el mal se han esfumado y se vive la vida grisácea.

En Atenas las columnas y las estatuas del Partenón se han estado erosionando en los últimos años a un paso acelerado. La causa de la inminente destrucción de estas obras de arte, que no tienen precio, no es ni las tormentas ni el tiempo, sino la polución de los desperdicios de la sociedad actual. Del mismo modo, lo que nos corroe a nosotros no son las fuertes tormentas de la vida, sino la polución insidiosa y gradual del pecado que conduce a nuestra destrucción.

Enfermo de muerte

El crimen requiere ser castigado y el pecado tiene un precio. Aunque éste sea un tema que preferiríamos ignorar, es un hecho ineludible. No sólo sufre todo el mundo a causa del pecado, sino que todo el mundo habrá de afrontar el juicio venidero. "Porque la paga del pecado es muerte" (Romanos 6:23).

En primer lugar está la *muerte física*. La Biblia dice: "Está establecido para los hombres que mueran una sola vez" (Hebreos 9:27). Casualmente, esto da al traste con la posibilidad de la reencarnación.

En muchos casos la muerte es inevitable e imposible de

predecir. Para cada uno de nosotros ha de haber un día, una hora, un minuto, cuando dejaremos de ser seres terrenales. Si Dios no hubiese pronunciado el juicio de la muerte física, la tierra pronto sería inhabitable, porque el hombre viviría para siempre en sus pecados.

Debido a que la vida es breve, la Biblia nos enseña que debemos prepararnos "para venir al encuentro de [nuestro] Dios" (Amós 4:12). Durante el curso de mi vida he conocido a muchas personas que están totalmente preparadas para encontrarse con Dios. Existe una tremenda diferencia entre esas personas y aquellas personas que han vivido una vida sin Dios.

No me olvidaré nunca del verano de 1973. Ese fue el año en que uno de los más grandes cristianos que yo he conocido se fue al cielo. Era mi suegro, el doctor Nelson Bell, que había servido a Cristo durante años en China como misionero y cirujano. En 1972 fue moderador de la Iglesia Presbiteriana del Sur, el más alto honor que su denominación le podía conceder. La noche antes de su muerte habló para la Conferencia Mundial de Misiones en un gran auditorio en Montreat, N.C.

Al final de su charla dijo: "Hoy antes de orar, tengo unas palabras que decir. Después de escuchar esos cánticos nadie puede negar que nuestra iglesia Presbiteriana está despertando. Ahora en este lugar hay dos grupos de personas. Hay los que saben que han sido salvados y amados por el Señor Jesucristo y hay aquellos aquí que todavía no conocen a Cristo. Mi esperanza es que antes de que os vayáis de este lugar lo conozcáis como vuestro Señor y Salvador personal. El Señor dijo: 'He aquí, yo estoy a la puerta y llamo; si alguno oye mi voz y abre la puerta, entraré a él, y cenaré con él, y él conmigo' ".

Esas fueron las últimas palabras que pronunció el doctor Bell en público. Esa noche se fue a dormir y cuando despertó se hallaba en la presencia del Señor. Su vida había tocado a su fin. Su himno favorito era "Salvador mi bien eterno, más que vida para mí" y cuando lo vi aquella mañana, fue un gran consuelo ver el rostro de uno tan pacífico.

El estaba preparado para encontrarse con Dios.

Recuerdo haberme enterado de lo que fueron las últimas palabras dichas por Pearl Goode, una mujer maravillosa que a lo largo de los años fue una de las personas que nos apoyaron fielmente con sus oraciones, apartándose con frecuencia a orar día y noche a favor del equipo de la cruzada dondequiera que se hallase. Era una mujer que caminaba en tan íntima comunión con Dios que cuando llegó su hora de partir, se incorporó en su lecho y dijo: "Bueno, ahí está. Ahí está Jesús". Ella estaba preparada para encontrarse con Dios.

En el verano de 1976 hubo una inundación en Colorado en la que muchas personas perdieron sus vidas. Entre las víctimas había algunas jóvenes cristianas que habían estado asistiendo a un retiro en las montañas. Los hombres que realizaban la labor de buscar los cadáveres de los que habían perecido, informaron después que la mayoría de las personas tenían en sus rostros una expresión de terror, pero se quedaron sorprendidos al ver que cada una de las muchachas parecía estar en paz. Ellas estaban preparadas para encontrarse con Dios.

¡La vida es tan corta! La Biblia dice que debemos estar preparados para encontrarnos con Dios en todo momento. Nunca sabemos al entrar en nuestro coche, al salir de la casa o sencillamente al abrir nuestros ojos a un nuevo día, lo que nos espera. "Ciertamente sus días están determinados, y el número de sus meses está cerca de ti; le pusiste límites, de los cuales no pasará" (Job 14:5).

La segunda dimensión de la muerte es la *muerte espiritual*. Millones de personas sobre la tierra caminan físicamente vivas, pero espiritualmente muertas. Cuando nuestros ojos y nuestros oídos se ponen a tono con los demás, oímos a aquellos que dicen que están vacíos y perdidos. Están separados del que es la fuente de la vida y lo mismo que una lámpara que no está enchufada, se encuentran en tinieblas y sin vida. La lámpara puede ser una muy cara, puede tener una linda pantalla que llama la atención, pero no tiene luz a menos que esté conectada a la fuente de energía. Jesús dijo: "Yo soy la vida".

Los periódicos y las revistas de todo el mundo difundieron la historia del suicidio de Freddie Prinze. A la edad de veintidós años había alcanzado uno de los puestos de mayor categoría en el mundo del espectáculo. Era el niño mimado de la televisión y acababa de actuar en un espectáculo para el presidente entrante en una gala inaugural en Washington. Pero, a pesar de ello, algo no funcionaba en la vida de este comediante de talento. Un amigo íntimo, el actor David Brenner, le explicó a la revista *Time*: "En la vida de Freddie no hubo transición, fue una explosión. Es duro salir del tren subterráneo a los 19 años y, de repente, bajarse de un Rolls Royce al día siguiente mismo". El productor James Komack, también un íntimo confidente, dijo: "Freddie no veía nada a su alrededor que le produjese satisfacción y me preguntaba: '¿Es así como son las cosas?' " El señor Komack dijo: "Su auténtica desesperación, tanto si lo expresaba como si no, la causaban las siguientes preguntas: '¿Dónde encajo yo? ¿Dónde está mi felicidad?' Yo acostumbraba a decirle: 'En Dios, Freddie, tu felicidad está exactamente aquí, eres una estrella'. Pero él decía: 'No, eso ya no me hace feliz' ". Tal y como dijo la revista *Time* al final del relato: "Para una de las más extraordinarias historias de huida en la historia del gueto, el huir no era suficiente".

Puede que estemos físicamente vivos, pero espiritualmente muertos, como la mujer que "viviendo está muerta" (1 Timoteo 5:6), según la descripción del apóstol.

La tercera dimensión de la muerte es la *muerte eterna*. Este puede ser un tema que la mayoría de nosotros tratamos de eludir. Oímos mucho acerca de ese "infierno en la tierra", pero existe otro infierno que es más auténtico y seguro y ese es el infierno de la muerte eterna. El propio Jesús habló con frecuencia acerca del infierno. Nos advirtió de un infierno venidero. Las Escrituras nos enseñan que estaremos solos en el infierno y que sufriremos solos. En el infierno no existe la comunión, excepto la que podamos tener con las tinieblas. He oído decir a algunas personas: "Si yo creyese que mi padre (o cualquier otro ser amado) estuviese en el infierno, allí es donde también me gustaría estar". ¡Qué ilusos; el infierno es el lugar más solitario que nos podamos imaginar!

Jesús advirtió a los hombres: "E irán éstos al castigo eterno" (Mateo 25:46), y también dijo: "Enviará el Hijo del Hombre a sus ángeles, y recogerán de su reino a todos los que sirven de tropiezo, y a los que hacen iniquidad, y los echarán en el horno de fuego; allí será el lloro y el crujir de dientes" (Mateo 13:41, 42).

No existe nunca tal urgencia de hablar acerca de la eternidad como cuando nos afrontamos con la muerte eterna. Una amiga mía me dijo que el día después de que su hijo pereciese en un accidente aéreo, mientras su casa estaba llena de personas que habían venido a ofrecer su amor y su consuelo, dejó de funcionar la calefacción. Tuvieron que llamar a un hombre para que lo arreglase. Después de echarle un vistazo al calefactor le dijo: "Señora, si hubiese usted esperado un poco más para llamarme, este calefactor podría haber hecho explosión". Ella hizo una pausa en medio de su dolor, miró al hombre que había venido a repararlo y le dijo fijándose en él: "En estos momentos sólo una cosa tiene importancia; si ese calefactor hubiese explotado mientras usted lo arreglaba, ¿sabe usted con toda seguridad dónde pasaría la eternidad?".

Antes de marcharse de la casa este hombre se aseguró de su destino eterno.

Los dos rostros del hombre

El hombre posee dos rostros. Uno de ellos muestra su ingeniosidad, su capacidad creadora, su amabilidad y el modo en que hace honor a la verdad mientras que el otro revela el modo malicioso en que utiliza su ingeniosidad. Lo vemos realizar un acto amable con sagacidad para alcanzar uno de sus más íntimos anhelos. Vemos un lado del hombre que se solaza ante una puesta de sol, pero al propio tiempo trabaja en un empleo que llena el ambiente de productos de desperdicio que casi oscurecen esa puesta de sol. Su búsqueda de la verdad a menudo degenera en una desenfrenada carrera por el éxito en el descubrimiento de hechos científicos para que le atribuyan mérito a él.

El hombre es a un mismo tiempo un ser dignificado y un ser degradado.

El más casual observador de la naturaleza humana podrá darse cuenta de la necesidad de un nuevo nacimiento espiritual. El hombre es un ser caído y perdido, alejado de Dios.

Desde el principio, todos los intentos por recuperar al hombre de su perdición han revelado uno u otro de dos caminos.

El plan A y el plan B

¿Te acuerdas de Caín y Abel? Los hijos de Adán y Eva representan el plan A y el plan B de la salvación. Uno de ellos, Caín, siguió su propio método, iniciando el plan A; el otro, Abel, fue obediente y siguió el método de Dios, que es el plan B.

Caín era el materialista seguro de sí mismo y además un humanista religioso. Trajo al altar lo que era una expresión de su propio trabajo, convirtiéndose en el prototipo de todos aquellos que se atreven a acercarse a Dios sin el derramamiento de sangre.

El modo en que lo hizo Caín no le sirvió para nada; nunca le ha servido de nada a nadie, y en la actualidad tampoco vale. Sólo Dios puede diagnosticar acertadamente nuestra enfermedad y facilitar la cura. Dios escogió la sangre como el medio de nuestra redención. El apóstol Juan escribió que Jesucristo "nos lavó de nuestros pecados con su sangre" (Apocalipsis 1:5).

Cuando Jesucristo, el perfecto Dios-hombre, derramó su sangre en la cruz, estaba entregando su vida, pura y sin mancha, a la muerte como sacrificio eterno por los pecados del hombre. De una vez y para siempre, Dios hizo provisión absoluta para la cura de los pecados del hombre. Sin la sangre de Cristo, es una enfermedad mortal.

Cada uno de nosotros ha de escoger entre los dos caminos: el del hombre o el de Dios. ¿Cuál de ellos?

II.
La respuesta de Dios

Capítulo siete El hombre que es Dios

EMPIEZO A ESCRIBIR este capítulo poco después de Navidad; las tarjetas de Navidad continúan llegando todos los días, llenan el buzón hasta los topes y deslumbran la vista. Muchas de ellas presentan un cuadro de Jesús, algunas de ellas como un bebé en un tosco pesebre, otras como un pastor, rodeado por los niños. El mundo se siente fascinado preguntándose cómo sería Jesús. Desde las magníficas catedrales de Europa hasta las clases de la escuela dominical en las Américas, vemos cuadros de los conceptos artisticos de Jesús. Unos pocos días antes de las Navidades me encontré en Africa y vi a Jesús representado como un bebé negro. El año pasado estuvimos en Oriente poco antes de las Navidades y lo vimos representado como un oriental.

¿Qué imagen tiene el mundo de Jesucristo? Algunos se lo imaginan un joven pálido, de ojos azules, que sonríe un tanto débilmente bajo una aureola etérea. En los Estados Unidos, la nueva imagen popular de Jesús es la de un hombre bien parecido y viril con un encanto y atractivo sólidos. Es muy posible que Jesús tuviese el aspecto de una persona del Oriente Medio, con la piel curtida; la verdad es que no lo sabemos. Y vale más que no sepamos cómo era físicamente porque en la actualidad Jesús le pertenece al mundo.

No importa cómo nos lo imaginemos, la verdad es que Jesucristo no tiene una presentación más poderosa que la que aparece en la Biblia. Ella nos ofrece un cuadro del hombre que es Dios. La afirmación de que Jesucristo es la deidad es el punto central de toda creencia; es el fundamento del cristianismo. Debido a que la manera más rápida de destruir un edificio es deshacernos de su base o debilitarla, los hombres han intentado siempre refutar, desechar, o burlarse de las afirmaciones de Cristo. Sin embargo, nuestra esperanza de redención del pecado depende de la divinidad de Cristo.

¿Quién es El?

Jesús: único en todos los sentidos

Sabemos que Jesús vivió. Fue un hombre en la historia, además de ser un hombre de todos los tiempos. Tácito, probablemente el más importante historiador romano nacido durante el siglo I, habla de Jesús. Josefo, el historiador judío, nacido en el 37 d.C., relata la crucifixión de Jesús. Un erudito de la Biblia contemporáneo dijo que "la última edición de la Enciclopedia Británica utiliza 20.000 palabras para describir a esta persona, Jesús. Su descripción ocupó más espacio que el que le concedieron a Aristóteles, Cicerón, Alejandro, Julio César, Buda, Confusio, Mahoma o Napoleón Bonaparte".[1]

Rousseau dijo: "Hubiera sido un milagro aún mayor inventar una vida como la de Cristo, que serlo".

Jesús vivió, enseñó y murió sobre la tierra en un pequeño sector del Oriente Medio, en gran parte de lo que hoy es Israel. Este es un hecho confirmado de la historia.

Su intelecto

Muchos hombres en la historia han sido admirados y muchos han recibido honores por sus logros intelectuales, pero ningún hombre ha poseído el intelecto incisivo de Jesús. En todas las circunstancias, tanto si se encontraba cansado por un largo viaje o acosado por sus enemigos, Jesús confundió a algunas de las más grandes mentes de su día.

Durante tres años se tuvo que enfrentar intelectualmente con los dirigentes religiosos de su día. Estos hombres intentaban a menudo ponerlo en un aprieto haciéndole preguntas que eran difíciles de responder. En una ocasión, cuando se hallaba enseñando en el templo, los principales sacerdotes y los ancianos le preguntaron con beligerancia: "¿Con qué autoridad haces estas cosas? ¿y quién te dio esta autoridad?" (Mateo 21:23).

Estos eran los hombres que controlaban toda la enseñanza religiosa y este Jesús, un carpintero de Nazaret, que no era alumno de ellos, estaba enseñando en su territorio. ¿Se imaginan lo que sucedería si en uno de nuestros prestigiosos seminarios el conserje de repente se subiese a la plataforma y comenzase a instruir a los estudiantes?

Jesús respondió a la pregunta de las autoridades religiosas con otra pregunta: "Yo también os haré una pregunta, y si me la contestáis, también yo os diré con qué autoridad hago estas cosas. El bautismo de Juan, ¿de dónde era? ¿Del cielo o de los hombres?

Sucedía que Juan el Bautista tampoco había sido ordenado por ellos y él les había pedido a sus seguidores que obedeciesen a Jesús. Los dirigentes religiosos se hallaban confusos porque sabían que si respondían "del cielo", Jesús les preguntaría: "¿Por qué, pues, no le creísteis?" Por otro lado, si respondían: "de los hombres", temían que el pueblo se enfureciese porque creían que Juan era profeta. Así que se limitaron a decir: "No sabemos".

Jesús les respondió: "Tampoco yo os digo con qué autoridad hago estas cosas" (Mateo 21:27).

Jesús poseía una agilidad mental que ha dejado atónitos a los eruditos a lo largo de 2.000 años.

Su franqueza

Jesús era abierto y franco sin importarle las consecuencias. Los miembros de la institución religiosa de su día seguían meticulosamente ciertos ritos para la limpieza de los platos que utilizaban para comer cada día. Al utilizar esta práctica como ilustración, Jesús dijo: "¡Ay de vosotros, escribas y fariseos, hipócritas! porque limpiáis lo de fuera del vaso y del plato, pero por dentro estáis llenos de robo y de injusticia. ¡Fariseo ciego! Limpia primero lo de dentro del vaso y del plato, para que también lo de fuera sea limpio" (Mateo 23:25, 26).

La acusación de Jesús se aplica también a nuestros días. El creer verdaderamente en Dios es algo interno y tiene que ver con una entrega personal y con la actitud, más bien que con la observancia de los rituales y de las normas. La mayoría de nosotros no nos atreveríamos a hablar con tal franqueza a los dirigentes de las iglesias de nuestro tiempo; pero, sin embargo, Jesús era un hombre franco, atrevido y honrado en todas las situaciones.

Su claridad

Jesús poseía la habilidad de comprender a todo el mundo, sin importar la posición que ocupasen en la sociedad. En una ocasión se encontraba cenando con un importante dirigente religioso llamado Simón. Mientras cenaban, entró en la sala una prostituta arrepentida y mientras servían la comida comenzó a lavar los pies de Jesús con sus lágrimas y a secarlos con sus cabellos. El dirigente religioso se escandalizó y comenzó a mirar a Jesús un tanto dubitativo. Pensaba: "Este, si fuera profeta, conocería quién y qué clase de mujer es la que le toca. . ."

Jesús, adivinando sus pensamientos, le contó la siguiente historia: "Un acreedor tenía dos deudores: el uno le debía quinientos denarios [un denario era la paga de un día] y el otro cincuenta; y no teniendo ellos con qué pagar, perdonó a ambos. Dí, pues ¿cuál de ellos le amará más?"

Simón debió de preguntarse cuál era el propósito de esta historia. Probablemente se encogería de hombros al contestarle: "Pienso que aquel a quien perdonó más".

Jesús le dijo que esa era la respuesta correcta, y luego le recordó a Simón que cuando él había llegado a su casa, como invitado, Simón había dejado a un lado la cortesía acostumbrada en aquellos días: "no me diste agua para mis pies, mas ésta ha regado mis pies con lágrimas, y los ha enjugado con sus cabellos. No me diste beso; mas ésta, desde que entré, no ha cesado de besar mis pies".

Entonces Jesús se volvió a la mujer y le aseguró que sus pecados le habían sido perdonados.

Los otros invitados a la cena se quedaron asombrados y se preguntaban diciendo: "¿Quién es éste, que también perdona pecados?" (Lucas 7).

Sabemos que Jesús comía a menudo con lo que era la élite de la sociedad, pero defendía a los rechazados por la sociedad.

Su espíritu perdonador

Sus opositores eran poderosos y persistentes. Se burlaron de El, conspiraron contra El y finalmente movieron a las multitudes para que éstas apoyasen su muerte y crucifixión.

Mientras colgaba de la cruz, sangrando y sufriendo a causa del dolor y del tórrido sol, muchos se burlaban de El y decían: "Sálvate a ti mismo, y desciende de la cruz" (Marcos 15:30).

Bajo circunstancias tan extremas, Jesús mostró una característica que se halla muy por encima de nuestro entendimiento. Le habló a Dios el Padre y le dijo: "Padre, perdónalos, porque no saben lo que hacen" (Lucas 23:24).

¿Cuántos que fuesen meramente hombres serían capaces de perdonar a sus perseguidores en circunstancias tan brutales?

Su autoridad moral

Las representaciones de Jesús como una figura vaga y sin colorido no encajan con el auténtico relato de su fortaleza y su autoridad moral. Al final de su vida, los gobernantes religiosos y políticos se unieron para poner fin a su obra y enviaron oficiales a que lo arrestaran. Los secuaces corpulentos se acercaron a Jesús, pero se detuvieron a escuchar lo que decía y regresaron a sus superiores sin El.

Se les preguntó: "¿Por qué no le habéis traído?"

Los alguaciles respondieron sorprendidos: "¡Jamás hombre

alguno ha hablado como este hombre!" (Juan 7:45, 46). Estaban experimentando lo que las multitudes del pueblo ya sabían. "La gente se admiraba de su doctrina", informó Mateo, "porque les enseñaba como quien tiene autoridad, y no como los escribas" (Mateo 7:28, 29).

Jesucristo vivió la clase de vida que enseñó. Conocemos a muchos hombres nobles, inteligentes, francos y abiertos que hablan con autoridad, pero sólo en Jesús encontramos las características humanas que esperaríamos encontrar en Dios si éste se hiciese hombre.

El hecho de que Jesús afirmase ser divino se ve plenamente apoyado por su carácter; El fue único en la historia.

Más que mero hombre

Si esto fuese todo cuanto tenemos que decir acerca de Jesucristo poco más tendría que ofrecer que muchos grandes hombres de la historia. Sin embargo, lo único de Cristo es que durante su vida en la tierra demostró poseer cada uno de los atributos o características conocidas de la deidad.

¿Qué es un atributo? Un erudito de la Biblia ofreció esta definición sencilla: "Los atributos de Dios son aquellas características distintivas de la naturaleza divina que son inseparables del concepto de la deidad, y que constituyen la base y el fundamento de sus varias manifestaciones a sus criaturas".[2]

Jesucristo fue la manifestación suprema de Dios. "Dios estaba en Cristo reconciliando consigo al mundo" (2 Corintios 5:19).

El no fue un hombre corriente. Varios cientos de años antes de que naciese, el profeta Isaías dijo: "He aquí que la virgen concebirá, y dará a luz un hijo" (Isaías 7:14). Ningún otro hombre en toda la historia podía decir que su madre era una virgen. Las Escrituras enseñan que no tuvo padre humano; de haberlo tenido, hubiese heredado los pecados y las flaquezas que tienen todos los hombres, ya que "lo que es nacido de la carne, carne es" (Juan 3:6). Comoquiera que no fue concebido por medios naturales, sino por el Espíritu Santo, El es el único hombre que salió puro de la mano de Dios. El se podía situar ante los otros hombres y decir:

"¿Quién de vosotros me redarguye de pecado?" (Juan 8:46). El fue el único hombre desde Adán que podía decir: "Yo soy puro".

Si sondeamos nuestra mente con honradez, hemos de reconocer que existen misterios acerca de la encarnación que ninguno de nosotros podrá jamás entender. De hecho, Pablo habla de Dios, manifestado en carne, como un "misterio" (1 Timoteo 3:16).

Pablo explicó al Hombre que es Dios en otra epístola: "Haya, pues, en vosotros este sentir que hubo también en Cristo Jesús, el cual, siendo en forma de Dios, no estimó el ser igual a Dios como cosa a que aferrarse, sino que se despojó a sí mismo, tomando forma de siervo, hecho semejante a los hombres" (Filipenses 2:5-7).

En primer lugar, *Dios es santo.* Esta es una característica que posee Jesucristo y que resulta central para toda la fe cristiana. ¿Qué significa "santidad"? Este término se refiere a personas, a lugares y a veces a circunstancias. Sin embargo, esta palabra tan común, a menudo mal utilizada y mal entendida, significa: "una pureza que se afirma a sí misma". Ningún mero ser humano podrá poseer ahora o jamás la pura santidad y la perfección moral.

En el Antiguo Testamento, se califica a Dios de "Justo en todos sus caminos" (Salmo 145:17) y el profeta Isaías, en su visión de Jehová Dios, declara: "Santo, santo, santo, Jehová de los ejércitos" (Isaías 6:3). En el Nuevo Testamento este atributo único lo posee Jesucristo, el niño santo, el hombre sin pecado. Por lo tanto, Jesucristo tenía una característica que sólo Dios podía poseer.

En segundo lugar, *Dios es también justo.* Para guardar su santidad, Dios debe ejercitar la justicia. Comoquiera que todo pecado es una ofensa a Dios, el principio de la justicia de Dios es vital para un universo ordenado, del mismo modo que una nación ha de tener ciertas leyes y códigos. Pero a diferencia del gobierno humano, que utiliza la justicia según la conveniencia de los jefes de gobierno, la justicia de Dios es pura; jamás se comete un error.

Jesucristo era justo. Durante su ministerio terrenal Cristo mostró esta característica cuando echó a los alborotadores del templo con un látigo. También se le describe como fiel y justo en perdonarnos nuestros pecados. Cuando El murió por nuestros pecados, fue "el Justo" que murió por los injustos.

En tercer lugar, *Dios es misericordioso*. Esta característica de la deidad se vio a lo largo de toda la vida de Jesucristo. Cuando la mujer adúltera fue traída ante las autoridades y condenada a ser apedreada, Jesús la defendió con la acusación: "El que esté sin pecado sea el primero en arrojar la piedra". Sus acusadores se echaron atrás avergonzados. Jesucristo, mostrando la misericordia de Dios, le dijo que se fuese y que no pecase más. A lo largo de todo su ministerio, el amor, la misericordia y la compasión de Jesús se muestran una y otra vez. En el discurso inaugural que Jesús dio en su ciudad natal de Nazaret, citó a Isaías el profeta: "El Espíritu del Señor está sobre mí, por cuanto me ha ungido para dar buenas nuevas a los pobres; me ha enviado a sanar a los quebrantados de corazón; a pregonar libertad a los cautivos, y vista a los ciegos; a poner en libertad a los oprimidos; a predicar el año agradable del Señor" (Lucas 4:18, 19).

En cuarto lugar, *Dios es amor*. Las primeras canciones que aprenden los niños en la escuela dominical, cuando a penas son capaces de entonar, son acerca del amor de Dios. Un niño puede comprender el amor de Dios, pero la profundidad es tan infinita que al adulto le resulta difícil de sondear. El amor de Dios es el resultado continuo de su santidad y misericordia.

Como Dios santo, odia el pecado y no puede tener comunión con él. Porque la Biblia nos dice que el alma que pecare morirá, podemos ver que la separación de Dios es el resultado del pecado. Sin embargo, debido a que Dios es al mismo tiempo misericordioso, desea ardientemente salvar al pecador culpable y para ello debe proveer un sustituto que satisfaga su divina justicia. El nos dio ese sustituto en Jesucristo. He aquí el amor de Dios: "Porque de tal manera amó Dios al mundo, que ha dado a su Hijo unigénito, para que todo aquel que en él cree no se pierda, mas tenga vida eterna" (Juan 3:16).

Dios y Jesucristo lo mismo

En quinto lugar, Jesucristo posee los tres grandes "omnis" de Dios. Este prefijo significa "completamente o todo" y cuando se emplea en la palabra *omnipotente* significa que el que lo posee tiene todo el poder. El diccionario tiene una palabra para describir al Omnipotente y esa palabra es Dios.

Mientras Jesucristo fue hombre en la tierra realizó muchos milagros; resucitó a personas de los muertos, tomó unos pocos panes y unos pocos peces y los multiplicó a fin de alimentar a miles, curó a los enfermos crónicos, y sanó a los tullidos, pero ¿por qué ha de ser eso algo sorprendente? Jesús dijo: "Toda potestad me es dada en el cielo y en la tierra" (Mateo 28:18). Esa afirmación resultaría sorprendente si la hiciese un hombre corriente porque sólo Dios podía hacer semejante afirmación.

Jesucristo era *omnisciente*. Eso significa que sabía todas las cosas y que sigue sabiendo todas las cosas. Las Escrituras dicen: "conociendo Jesús los pensamientos de ellos" (Mateo 9:4); "conocía a todos. . . pues él sabía lo que había en el hombre" (Juan 2:24, 25); "en quien están escondidos todos los tesoros de la sabiduría y del conocimiento" (Colosenses 2:3).

¿Conoces tú alguna persona amiga o a alguna persona de la historia que lo supiese todo? ¿Has oído hablar alguna vez de una persona que pudiese leer, sin equivocarse, la mente de los hombres? Sólo un Dios todopoderoso lo sabe todo, y Jesucristo era omnisciente.

Probablemente no existe una idea más difícil de comprender para el hombre que el concepto de la *omnipresencia*. ¿Cómo puede Dios estar en todas partes al mismo tiempo? Desde nuestro punto de vista estamos sujetos por el tiempo y el espacio. Somos criaturas físicas que solamente pueden estar en un solo lugar a la vez. Con frecuencia nos quejamos de que " ¡yo no puedo estar en todas partes al mismo tiempo!" Dios transciende el tiempo y el espacio y lo mismo hace Jesucristo. El existió antes de que comenzara el tiempo. "Antes que Abraham fuese, yo soy" (Juan 8:58). "El es antes de todas las cosas" (Colosenses 1:17).

Jesús no está sujeto a la tierra. El dijo: "Donde dos o tres están reunidos en mi nombre allí estoy yo en medio de ellos". El puede estar con un grupo de creyentes en una cabaña primitiva en Nueva Guinea o en una comida de negocios en Dallas. Puede estar a la mesa de una familia que almuerza o en un banquete de la realeza. Jesucristo es omnipresente.

Jesucristo afirmó ser Dios. El dijo: "Yo y el Padre uno somos" (Juan 10:30) y "el que me ve, ve al que me envió" (Juan 12:45). El habló muy claro respecto a quién era, cuando habló con los dirigentes religiosos de su tiempo. "Yo soy el que doy testimonio de mí mismo, y el Padre que me envió da testimonio de mí" (Juan 8:18). Los miembros de la jerarquía de la iglesia local le dijeron: "¿Dónde está tu Padre?" Respondió Jesús: "Ni a mí me conocéis, ni a mi Padre; si a mí me conocieseis, también a mi Padre conoceríais".

Cristo se representa a sí mismo como uno "enviado por Dios" y "no de este mundo". El declara que es "la luz del mundo", "el camino, la verdad y la vida" y "la resurrección y la vida". El promete la vida eterna a todo aquel que cree en El como Señor y Salvador.

Sabiendo lo que Cristo ha afirmado, te encuentras ante una decisión vital. . .

¿Qué vas a hacer de Jesús?

Pregunta: ¿Quién crees que es Jesucristo? Si El no es el que afirmó ser, es un impostor o un egotista. No podemos quedar satisfechos con una respuesta moderada, al decir que era "un hombre bueno" o la moderna forma de adulación, una "superestrella". El mismo elimina la respuesta neutral. O bien decidimos que El es un mentiroso o un lunático o debemos declararlo Señor.

A la luz de la evidencia que aportan las Escrituras y el hecho físico de la Resurrección, la única conclusión inteligente es que El es Dios y merece nuestra adoración y confianza. Cuando yo decido ser cristiano, estoy decidiendo quién es Jesucristo. ¡Confiar en El hace de mí un creyente en El y me hace estar verdaderamente vivo!

Salir de la confusión particular

Nos enteramos de un joven matrimonio que estuvo separado durante la Segunda Guerra Mundial. Mientras el padre estuvo ausente la madre dio a luz a una niñita. Los meses transcurrieron y la madre guardaba sobre el escritorio una gran fotografía de su marido para que la niñita creciese sabiendo cómo era su padre. La niña aprendió a decir "papá" y asoció el nombre con la fotografía que había sobre el escritorio. Finalmente llegó el día en que el padre iba a regresar de la guerra al hogar. Toda la familia se reunió para contemplar a la niñita cuando viese a su padre por primera vez. Imagínense el chasco que se llevaron cuando ella no quiso saber nada de él. En lugar de ello, corrió a la fotografía sobre el escritorio y dijo: "Ese es mi papá". Día tras día la familia tenía que tragarse las lágrimas al ver al joven padre sobre sus rodillas, que intentaba por todos los medios de familiarizarse con su hijita, y le explicaba de la manera más sencilla posible que él era su padre. Pero cada vez ella negaba con la cabeza y corría hacia la fotografía sobre el escritorio y exclamaba: "ese es mi papá". Esto continuó durante algún tiempo, pero un día sucedió algo. La niñita, habiendo ido una y otra vez a ver la fotografía sobre el escritorio, regresó al padre y lo miró detenidamente. Entonces regresó junto a la fotografía sobre el escritorio y la quedó mirando. La familia se quedó sin atreverse a respirar siquiera. Después de varias idas y venidas, el rostro de la niñita se iluminó y exclamó muy emocionada: " ¡Los dos son el mismo papá!"

C. S. Lewis describe su experiencia: "Debéis imaginarme solo en esa habitación en Magdalen, noche tras noche, cuando mi mente se elevaba siquiera por un segundo de mi trabajo, y percibía que se acercaba inevitablemente Aquel que yo había deseado ardientemente no ver. Aquello que yo tanto temía había caído por fin sobre mí. En el Curso de la Trinidad de 1929 yo me di por vencido y reconocí que Dios era Dios y me arrodillé a orar: era en esa noche tal vez el más deprimido y recalcitrante convertido de toda Inglaterra. En aquel entonces no vi lo que ahora es la cosa más brillante y obvia: la humildad divina que acepta a un converso incluso bajo semejantes condiciones. Por lo menos el hijo pródigo se encaminó a su casa por sus propios pies; pero ¿quién puede adorar debidamente ese amor que abre sus puertas altas a un pródigo que es traído pataleando y luchando, resentido y mirando en todas las direcciones buscando escapar? Las palabras *compelle intrare*, compelerlos a entrar, han sido tan abusadas por los hombres malvados que temblamos cuando las menciona alguien; pero, debidamente entendidas, sondean la profundidad de la misericordia divina. La dureza de Dios es más amable que la ternura del hombre, y Su compulsión es nuestra liberación".[3]

Cierto catedrático dijo que durante los cuarenta años que había enseñado en la universidad nadie le había preguntado: "¿Es usted cristiano?" Como estudiante había leído libros que intentaban dar razones naturales de los milagros de Cristo; él se consideraba bien informado y sofisticado sobre el tema. Como resultado de ello, por un lado no creía en la divinidad de Jesucristo, mientras que, por el otro, poseía una vaga creencia en Dios.

En la práctica, sin embargo, dijo que "preferí desecharlo en mis días posteriores a la universidad. Esto condujo a mi propia confusión personal, e intenté satisfacer mis necesidades internas leyendo y estudiando literatura y ciencia. Estos estudios a menudo confirmaban mi opinión de que podía dejar a Cristo fuera de mi vida porque El era sencillamente otro profeta".

Pero un día un estudiante logró penetrar esa "confusión particular" del catedrático al invitarlo a que escuchase en la universidad misma una charla sobre la deidad de Cristo. El catedrático recordaría después: "Me encontré frente al lado positivo de la divinidad de Cristo por primera vez desde que era niño. No creí que mi incredulidad en la deidad de Cristo habría de cambiar.

"Al escuchar aquella tarde, con un cierto escepticismo y un algo de esperanza, debo confesar que deseaba ser convencido. El orador apenas había completado la mitad de sus comentarios cuando yo quedé convencido de la deidad de Cristo. Lo que yo había supuesto, que Jesús era sólo un gran maestro, ya no me valía. El cambio de dirección en mis convicciones fue sencillo".

Tengo que estar de acuerdo con este catedrático. Es sencillo. Jesús es Dios. Nuestras vidas terrenales y nuestros destinos eternos dependen de nuestra creencia en ese hecho.

Capítulo ocho
Lo que sucedió en la cruz

POR TODAS LAS JOYERIAS, desde la Quinta Avenida al aeropuerto de Roma, una joya que aparece siempre en los escaparates es la cruz. Las sotanas del clero llevan este emblema cosido bien en la parte delantera o en la de atrás. Las iglesias muestran la cruz en madera, en bronce, en cemento o en cobre. Durante el último mes del año algunos edificios de oficinas encienden algunas de las ventanas de noche para formar una cruz que puede verse a muchas millas de distancia.

¿Qué significa la cruz de Cristo? Si parásemos a las personas por la calle y les hiciésemos esa pregunta podríamos oír: "Supongo que es un símbolo del cristianismo" o "Jesús fue un mártir y fue clavado en la cruz". Otros tal vez dirán que fue un mito, o una persona que se especialice en historia dirá que fue un ejemplo de la justicia romana.

Otra respuesta a la pregunta "¿Qué significa la cruz?" fue dada por el poeta, Thomas Victoria. El trató de expresar cómo hablaría el propio Jesús acerca de la cruz si se lo preguntáramos. El poeta se imagina a Jesús sobre la cruz, rodeado de hombres que se habían empeñado en matarlo.

Jesús los mira y dice:

Oh, cuán dulce la madera de la cruz,
cuán dulces los clavos,
que pudiera yo morir por ti.

Esta visión profundamente personal e íntima de la cruz es lo que enseñó el apóstol Pablo cuando dijo: "Ciertamente, apenas morirá alguno por un justo; con todo, pudiera ser que alguno osara morir por el bueno. Mas Dios muestra su amor para con nosotros, en que *siendo aún pecadores*, Cristo murió por nosotros" (Romanos 5:7, 8).

El foco de todo el ministerio de Pablo en la gran ciudad comercial de Corinto quedó resumido cuando dijo: "Pues me propuse no saber entre vosotros cosa alguna sino a Jesucristo, y a éste crucificado" (1 Corintios 2:2).

La mayoría de las personas en Corinto hubiesen contestado a una pregunta sobre la cruz de la misma manera que el hombre de la calle en los Estados Unidos o en cualquier país europeo, africano o asiático. Los corintios vivían en una ciudad conocida por su carácter moralmente depravado; era la clase de ciudad en la que no nos gustaría criar una familia. Los corintios eran un puñado de seres sofisticados, sexualmente disolutos, que pensaban que la cruz resultaba ridícula, una locura y hasta una idiotez. Al comentar sobre este punto de vista Pablo dijo: "Porque lo insensato de Dios es más sabio que los hombres, y lo débil de Dios es más fuerte que los hombres" (1 Corintios 1:25).

En Corinto la predicación de la cruz de Cristo era una piedra de tropiezo para los judíos y una idiotez para los filósofos griegos. Los filósofos creían que podían desentrañar los misterios divinos porque tenían una excesiva confianza en su capacidad mental. Sin embargo, Pablo dijo que el hombre natural (queriendo decir el hombre que no posee el Espíritu de Dios en él) no puede comprender las cosas de Dios. Quiso decir que el pecado ha torcido nuestro entendimiento de la verdad de modo que no podemos reconocer la verdad acerca de Dios.

Antes de que la enseñanza sobre la cruz en la Biblia pueda significar algo para nosotros, es preciso que el Espíritu de Dios abra nuestra mente. Las Escrituras enseñan que un velo cubre nuestra mente como resultado de nuestra separación de Dios.

Para el "extraño" la cruz le debe parecer ridícula, pero para aquellos que han experimentado su poder transformador, se ha convertido en el único remedio para todos los males de cada persona, y del mundo.

A pesar de ese poder que está disponible, el evangelio acerca de Cristo que fue crucificado, aún no tiene importancia para millones de personas. Estas personas reflejan el fracaso que Pablo analiza cuando preguntó: "¿De qué sirve ahora el sabio, o el maestro, o el que sabe discutir las cosas de este mundo? Pues la sabiduría de este mundo, Dios la ha convertido en tontería. Dios, que sabe lo que hace dejó que los que son del mundo no le conocieran por medio de la sabiduría humana; más bien quiso salvar por medio de su mensaje a los que confían en él, aunque este mensaje parezca tontería a los demás" (1 Corintios 1:20, 21, VP).

¿Cómo podemos difamar el mensaje de la cruz como locura? ¿Nos ha ido acaso tan bien en nuestras vidas privadas, con nuestras familias y con nuestra sociedad que podemos tenernos por sabios? Es hora de que dejemos de pretender que somos intelectuales y reconozcamos que nuestras mejores mentes se sienten confundidas por la vida.

Dios cambia con éxito a hombres y mujeres por medio del mensaje que se centra en la cruz. El reconoce nuestra enfermedad y nos presenta la medicina adecuada, ofreciéndonos su sabiduría como alternativa a nuestros fracasos.

En nuestra vida diaria aprovechamos muchas ayudas que no comprendemos. Vamos al fregadero y abrimos el grifo, sin detenernos a imaginar de dónde procede esa agua o cómo llega hasta nosotros a través de las cañerías. ¿Qué diremos de la receta del médico? No podemos ni leerla ni analizarla y pagamos una cantidad que nos parece excesiva porque confiamos en los conocimientos del médico como autoridad para mejorarnos.

Del mismo modo puede que no comprendamos por completo el profundo significado de la cruz, pero podemos beneficiarnos de ella porque la Biblia nos ofrece la respuesta autoritativa que resuelve el problema del pecado.

¿Que sucedió en la cruz?

La cruz es el punto céntrico en la vida y el ministerio de Jesucrito. Algunos piensan que Dios no quería que Cristo muriese, pero que se vio obligado a reajustar sus planes para adaptarse a ello. Sin embargo, las Escrituras demuestran claramente que la cruz no fue un pensamiento posterior de Dios. Cristo fue "entregado por el determinado consejo y anticipado conocimiento de Dios" (Hechos 2:23).

Dios diseñó la cruz para derrotar a Satanás, que por medio del engaño había obtenido el derecho del usurpador a la escritura de posesión de la tierra. Cuando Satanás, con sus inteligentes promesas, separó al hombre de Dios en el huerto del Edén, fue algo más que el engañador de Adán y Eva. De un modo misterioso comenzó a ejercer una especie de seudo-soberanía sobre el hombre. En su arrogante violencia, Satanás desencadenó su más despiadado ataque para poner fin al ministerio de Cristo al asegurarse de que fuese asesinado, pero Dios detuvo a Satanás y lo atrapó en su propia trampa. El no se había percatado de que Dios amaba al mundo con tal intensidad que estaba dispuesto a permitir que su propio Hijo se sometiese a lo peor que Satanás pudiese hacer. Satán erró el cálculo, no comprendió la grandeza del amor de Dios y la sabiduría de su plan.

El poder de Satanás quedó destruido en la cruz. "Para esto apareció el Hijo de Dios, para deshacer las obras del diablo" (1 Juan 3:8).

¡Qué golpe le fue proporcionado a Satanás! Aunque sigue siendo un hipócrita astuto, su destrucción quedó asegurada con la victoria de Cristo sobre la cruz. "Para destruir por medio de la muerte al que tenía el imperio de la muerte, esto es, al diablo" (Hebreos 2:14). Lo que pareció ser la más tremenda derrota de la historia resultó ser el triunfo más sonado.

Por medio de la cruz, Dios no solamente venció a Satanás, sino que El y el hombre se reconciliaron. Cristo rescató a los que Satanás tenía cautivos y los reconcilió a sí mismo. La Biblia describe este sorprendente plan divino con las siguientes palabras: "Mas hablamos sabiduría de Dios en misterio, la sabiduría oculta, la cual Dios predestinó antes de los siglos para nuestra gloria, la que ninguno de los principes de este siglo conoció; porque si la hubieran conocido, nunca habrían crucificado al Señor de la gloria" (1 Corintios 2:7, 8).

La cruz reveló un secreto eterno; éste era "la revelación del misterio que se ha mantenido oculto desde tiempos eternos, pero que ha sido manifestado ahora" (Romanos 16:25, 26).

Si fue posible que un solo hombre, Adán, condujese a la humanidad a la ruina, ¿por qué no habría de ser posible que un hombre la redimiese? La Biblia dice: "Porque así como en Adán todos mueren, también en Cristo todos serán vivificados" (1 Corintios 15:22).

¿Qué le costó a Dios la cruz?

Como seres humanos dominados por nuestros males, deseos y emociones, nos resulta casi imposible estrechar nuestra imaginación lo suficiente como para concebir lo que le costó a Dios permitir que su propio Hijo fuese a la cruz. Si hubiese podido perdonar nuestros pecados utilizando otro método, si los problemas del mundo pudiesen haber quedado resueltos de otra manera, Dios no hubiese permitido que Jesús muriese.

En el huerto de Getsemaní, la noche antes de morir, Jesús oró: "Padre mío, si es posible, pase de mí esta copa" (Mateo 26:39), en otras palabras, si existe algún otro modo de redimir a la raza humana, ¡Oh Dios, encuéntralo! Pero no hubo otro modo y entonces el oró: "Pero no sea como yo quiero, sino como tú" (Mateo 26:39).

Es importante comprender que cuando Jesús pronunció esa oración, no estaba solamente considerando el simple hecho de morir. Del mismo modo que su vida fue única, también lo fue su muerte. Lo que le sucedió a El cuando murió nunca le había sucedido a ninguna persona en el pasado y nunca le sucedería a nadie en el futuro. A fin de que podamos comprender esto es preciso que veamos la revelación de Dios antes del ministerio terrenal de Cristo, en el Antiguo Testamento.

La religión judía ortodoxa se basó en la gracia de Dios. En relación con Israel Dios estableció un pacto, declarándose su Dios y expresando, de modo muy especial, que ellos habrían de ser su pueblo (Deuteronomio 7:6). ¿Por qué esta clase de relación y cómo iban ellos a expresarle su amor? La respuesta es: haciendo su voluntad, tal y como aparecía descrita en la ley del Antiguo Testamento; pero al pueblo no le era posible guardar la ley a la perfección y cuando quebrantaron la ley, pecaron. Como dice la Biblia: "el pecado es infracción de la ley" (1 Juan 3:4).

Dios quiso decir por medio de los sacrificios realizados en el Templo que éstos mostraban, de manera gráfica, que la culpabilidad de una persona y la paga del pecado podían ser transferidas de esa persona a otra. En el caso del Antiguo Testamento, un animal perfecto llevaba simbólicamente la culpa, y lo mataban.

¿Por qué daría Dios la ley si sabía que al pueblo le era imposible guardarla? La Biblia enseña que la ley fue dada como un espejo. Cuando nos miramos en él, vemos lo que es la verdadera justicia. Los Diez Mandamientos describen la vida que agrada a Dios. Si el pecado nos separa de Dios, la ley revela nuestro pecado y nos hace reconocer nuestra verdadera condición espiritual. El espejo no revela una imagen muy atractiva.

Había que pagar el pecado, de modo que en el principio Dios instituyó el sistema de los sacrificios, por medio del cual finalmente pudiésemos tener una adecuada relación con Dios. En los tiempos del Antiguo Testamento, aquellos que habían pecado traían los animales que habían de ser sacrificados y se los ofrecían a Dios; estos sacrificios eran una sombra de lo que sería el Sumo Sacrificio que habría de venir.

En el capítulo 4 de Levítico, Moisés describe una situación en la que un dirigente necesita ofrecer un sacrificio. Podemos pensar en ella, dividiéndola en siete etapas:

1. "Cuando pecare un jefe. . .
2. presentará por su ofrenda un macho cabrío,
3. [un macho] sin defecto.
4. Y pondrá su mano sobre la cabeza del macho cabrío,
5. y lo degollará. . . es expiación.

6. Y. . . el sacerdote tomará de la sangre de la expiación, y la pondrá sobre los cuernos del altar. . .

7. Así el sacerdote hará por él la expiación de su pecado, y tendrá perdón" (vv. 22-26).

Nótese la secuencia. El hombre ha pecado y quiere que Dios lo perdone. El hombre trae un animal, un ejemplar perfecto, al sacerdote y coloca las manos sobre la cabeza. Simbólicamente, en ese momento la culpa y el castigo que lleva a causa del pecado pasan al animal. Entonces el hombre mata al animal como ofrenda por el pecado y el sacerdote coloca una parte de la sangre sobre el altar.

¿Cuál es el significado? Es la expiación que el hombre hace por su pecado. En lugar de que la relación entre Dios y el pecador esté rota, se produce la "expiación", y "tendrá perdón" de Dios.

Los sacrificios eran ayudas visuales para mostrar a los pecadores que había esperanza porque el castigo por el pecado podía ser transferido a otro. Sin embargo, no eran más que símbolos porque "la sangre de los toros y de los machos cabríos no puede quitar los pecados" (Hebreos 10:4); pero Dios podía perdonarlos a la luz de lo que haría un día en la cruz. Jesús, "habiendo ofrecido una vez para siempre un solo sacrificio por los pecados, se ha sentado a la diestra de Dios" (Hebreos 10:12).

Dios no inició los sacrificios porque era un Dios sanguinario o injusto. El quería que nosotros nos diésemos plena cuenta de dos cosas: primero, lo odioso del pecado y, segundo, la cruz sobre la que Dios mismo habría de satisfacer para siempre las exigencias de la justicia. "No por sangre de machos cabríos ni de becerros, sino por su propia sangre, [Jesús] entró una vez para siempre en el Lugar Santísimo, habiendo obtenido eterna redención" (Hebreos 9:12).

Cuando Cristo expió el pecado, ocupó el lugar de los hombres y las mujeres culpables. Si Dios hubiese perdonado el pecado por medio de un decreto divino, y presentara una especie de documento celestial escrito en el cielo, sin la expiación que representase la vergüenza personal, la agonía, el sufrimiento y la muerte de Cristo, entonces podríamos suponer que Dios era indiferente al pecado. Consecuentemente todos continuaríamos pecando y la tierra se convertiría en un infierno viviente.

En el sufrimiento de Jesús tenemos la participación de Dios en el acto de la expiación. El pecado hirió en el alma a Dios, y El sintió cada uno de los agudos clavos y la lanza. Dios sintió el sol tórrido; sintió la burla de los que lo atormentaban, y los latigazos al cuerpo. En la cruz está el amor sufrido de Dios, al llevar la culpa por los pecados del hombre. Este amor, por sí solo, puede fundir el corazón del pecador y hacer que se arrepienta para salvación. "Al que no conoció pecado [Jesús], por nosotros [Dios] lo hizo pecado" (2 Corintios 5:21).

El motivo de la Santa Cena

Muchas personas no comprenden la comunión. Para esas personas, el servicio de la Santa Cena no tiene un significado místico. Y, sin embargo, la comunión se trata precisamente de la Cruz. En la Santa Cena, Jesús se compara al Cordero, que era ofrecido en el sacrificio o en la expiación y le dice a sus discípulos y a todos los que creen en El: "Esto es mi cuerpo que por vosotros es partido". Esto es simbólico de lo que realizó en la Cruz. Cuando se ofrece la copa el énfasis reside en el hecho de que su sangre fue derramada para remisión de pecados. Los elementos del pan y del vino nos participan la realidad de la expiación y del perdón. Podemos tocarlos, probarlos y verlos; tenemos el pan en nuestras manos, pero tenemos a Cristo en nuestro corazón. Tenemos la copa en nuestras manos, pero tenemos el beneficio del perdón por medio de su sangre en nuestro corazón.

Uno de los más célebres teólogos escoceses fue John Duncan del New College de Edimburgo. En cierta ocasión, durante el culto de la Cena del Señor en una iglesia escocesa, cuando pasaron el pan y el vino ante una jovencita de dieciséis años, ésta volvió la cabeza hacia el lado. Le indicó al anciano que se llevase la copa, que ella no podía beberla. John Duncan extendió su largo brazo, la tocó en el hombro y le dijo con ternura: "¡Bébela, muchacha, es para pecadores!"

¿Como puedo comprender todo esto?

La muerte de Cristo es un misterio por encima de nuestro entendimiento humano. Las profundidades del amor de Dios al enviar a su Hijo a pagar tan terrible precio se encuentra por encima de la medida de la mente humana; pero debemos aceptarlo por fe o continuamente cargaremos la culpa del pecado. Debemos aceptar la expiación realizada por Cristo o intentar realizar nuestra propia expiación, y esto jamás lo podremos hacer. La salvación viene solamente por Cristo y tan sólo por la fe, y solamente para gloria de Dios.

Cristo tomó el castigo que merecíamos nosotros.

Mi amigo y socio, Cliff Barrows, me contó la siguiente historia sobre la cuestión de llevar el castigo. El recordaba una ocasión en que él cargó el castigo en lugar de sus hijos que habían desobedecido. "Habían hecho algo que yo les había prohibido hacer y les dije que si volvían a hacerlo tendría que disciplinarlos. Cuando regresé del trabajo y me enteré de que no me habían hecho caso, sentí lástima y no pude castigarlos".

Cualquier padre amoroso puede comprender el dilema de Cliff. Muchos de nosotros nos hemos encontrado en la misma posición. Cliff continuó con la historia: "Bobby y Bettie Ruth eran muy pequeños. Los llamé a mi habitación, me quité la correa y la camisa y, con la espalda desnuda, me arrodillé junto a la cama. Hice que los dos me pegaran con la correa diez veces cada uno. ¡Debieras haber oído el llanto! ¡De ellos, quiero decir! No querían hacerlo, pero yo les dije que había que pagar el precio, así que entre sollozos y lágrimas hicieron lo que yo les había dicho".

Cliff se sonrió al recordar el incidente. "Debo confesar que no fui exactamente un héroe, eso me dolió. No me he ofrecido a hacerlo de nuevo, pero nunca más he tenido que pegarles porque cayeron en cuenta. Cuando todo terminó, nos besamos y oramos juntos".

De esa manera infinita que deja a nuestro corazón y a nuestra mente anonadados, sabemos que Cristo pagó el precio de nuestros pecados, pasados, presentes y futuros.

Fue por eso que murió en la cruz.

Capítulo nueve
La corte del rey

CADA CUATRO AÑOS los Estados Unidos tienen sus elecciones presidenciales. Normalmente se establecen cambios en la Casa Blanca, en el Congreso y en las mansiones de muchos gobernadores. Cuando uno de los dirigentes elegidos está a punto de dejar su puesto para que lo ocupe su sucesor, a veces concede indultos a algunos prisioneros bajo su jurisdicción. Siempre resulta interesante ver quienes se beneficiarán de estos gestos de última hora.

Si tú o yo nos encontráramos en la cárcel y nos dijesen: "Eres libre, el Presidente acaba de conceder un indulto", no cabe duda de que recogeríamos nuestras cosas y saldríamos a toda prisa. Ese perdón cambiaría nuestra vida.

En la corte del Rey de reyes el perdón significa mucho más. En la cruz, Dios no solamente libró al creyente en Cristo del castigo, sino que le dio la bienvenida, con los brazos abiertos, a Su familia; El nos abre su hogar a nosotros.

En la cruz no solamente somos absueltos, sino que somos justificados (como si yo nunca hubiese pecado); no sólo recibimos el perdón, sino que somos aceptados. En el capítulo anterior vimos que el propio Dios llevó la carga de nuestro pecado y sufrió por nosotros. Ahora debemos ver que la cruz nos ofrece algo más que el perdón.

No se trata sólo de la sangre de Jesús, que nos limpia de todo pecado, sino también de su justicia. La clave se halla en la palabra "justificado". Somos "justificados gratuitamente por su gracia, mediante la redención que es en Cristo Jesús" (Romanos 3:24).

Hace varios años un conocido programa de la televisión quería hacerme una entrevista en mi casa y sabiendo que aparecería el programa en toda la nación, mi esposa realizó grandes esfuerzos por ver que todo estuviese bien presentable. Ella había pasado la aspiradora y había quitado el polvo y había limpiado toda la casa, pero se había esmerado de una manera especial en la limpieza de la sala de estar, que era donde habría de ser filmada la entrevista. Cuando llegó el equipo que había de realizar la filmación con todos los focos y las cámaras, ella estaba segura de que la sala estaba impecable. Nos habíamos situado ya, juntamente con el que realizaba la entrevista, cuando, de repente, los focos de la televisión se encendieron y vimos telarañas y polvo donde nunca antes los habíamos visto. Según dijo mi esposa: "Esa habitación estaba llena de polvo y telarañas que no se veían bajo la luz corriente".

Lo que quiero decir, como es natural, es que por mucho que limpiemos nuestras vidas y pensemos que las tenemos en orden, cuando nos vemos a la luz de la Palabra de Dios, a la luz de la santidad de Dios, se ven todas las telarañas y todo el polvo.

Imaginémonos la sala de un tribunal. Dios es el Juez y ocupa su asiento, vestido en todo su esplendor. Tú te encuentras acusado ante El y El te mira a la luz de su propia naturaleza justa tal y como expresa la ley moral. El te habla:

DIOS: Juan (o) María, ¿me has amado con todo tu corazón?
JUAN/MARIA: No, usía.
DIOS: ¿Has amado a otros como a ti mismo?
JUAN/MARIA: No, usía.

DIOS: ¿Crees que eres pecador y que Jesucristo ha muerto por tus pecados?
JUAN/MARIA: Sí, usía.
DIOS: Entonces tu culpa ha sido pagada por Jesucristo en la cruz y estás perdonado.

Yo he sido perdonado, pero hay mucho más. Cuando la Biblia dice que la persona que cree en Jesús es justificada gratuitamente por su gracia (véase Romanos 3:24), a mí me parece que eso suena a algo más que un simple perdón; y lo es. Si soy un criminal al que el presidente o el gobernador ha perdonado, todo el mundo sabe que sigo siendo culpable. Sencillamente no tengo que cumplir mi condena. Pero si soy justificado, es como si nunca hubiese pecado.

Tanto el perdón como la justificación los recibimos cuando creemos en Jesús. Por otro lado, Dios perdona nuestro pecado por la muerte de Cristo; El pagó nuestra culpa. Pero al mismo tiempo Dios nos declara de hecho "justos".

DIOS: Porque Cristo es justo, y tú has creído en Cristo, te declaro legalmente justo.

¿Cómo puede Dios hacer eso y seguir siendo "justo", cuando la pena de la muerte la unió El al pecado? La respuesta se halla en la justicia de Jesucristo. El vivió una vida intachable, perfecta. Su carácter apoyaba plenamente su afirmación de que El era divino, como vemos en el capítulo 7, "El Hombre que es Dios". Es fácil ver como Dios el Padre declara justo a Jesús porque lo era; pero ¿de qué modo me ayuda eso a mí, que soy pecador? Pablo nos da la respuesta en 2 Corintios 5:21. Para que quede claro sustituiremos las palabras *Dios* y *Cristo* donde aparecen las palabras Al y El. "A Cristo que no conoció pecado, Dios lo hizo pecado por nosotros, para que nosotros fuésemos hechos justicia de Dios en Cristo".

Dios colocó mi pecado sobre Cristo que no tenía pecado, y lo castigó en mi lugar, como hemos visto; pero hizo otra cosa, según este versículo. Por la acción de Dios la justicia de Cristo fue puesta sobre nosotros los que creemos "para que fuésemos hechos justicia de Dios en él".

Dios, el Juez, ha transferido la justicia de Cristo a tu cuenta legal si tú has creído en Cristo. Ahora El te examina conforme a la ley. ¿Qué será? ¿Todos tus hechos malvados y pensamientos malos pertenecen al pasado? ¿Tus malas acciones del pasado? No. El no ve tu pecado porque éste ha sido transferido a Cristo cuando Dios lo hizo pecado. Al contrario, te mira con detenimiento y ve la justicia de Cristo.

Pero puede que tú digas: "Pero mira, ¿acaso no sigo siendo una persona pecaminosa?"

La respuesta es "Sí y No". Si lo que quieres decir es que desde el punto legal eres un pecador delante de Dios, la respuesta es "No". Para El, legalmente, tú eres justo. Apareces ante El con posición correcta, y "posición" es lo que se va a tratar en el tribunal.

¿Eres aún capaz de pecar? La respuesta es "Sí". Claro que no eres perfecto. Habrá ocasiones en que todavía pienses y actúes de modo contrario a los deseos de Dios. Pero no se trata aquí de tu carácter y el mío, sino de nuestra posición legal. Y legalmente se nos declara justos.

¿Estoy en libertad de pecar?

" ¡Ama a Dios y vive como te dé la gana!" ¿Ahora tenemos libertad para pecar sin limitaciones? ¿Podemos salir de la sala del tribunal perdonados y justificados para hacer cuanto queramos? Sí, pero ahora eres una persona "nacida de nuevo". Ya no quieres hacer las mismas cosas; tus deseos han cambiado.

Si tú has confiado en Jesús y te has dado cuenta de lo mucho que El se preocupó por ti hasta ir a la cruz, podrás decir con el apóstol Pablo: "El amor de Cristo nos domina" (2 Corintios 5:14, NTV). Los cambios internos que Dios opera en nuestro carácter serán el tema de un próximo capítulo, pero todos ellos se refieren a un cambio de situación. Nosotros, que habíamos sido debidamente condenados, ahora somos debidamente declarados justos si confiamos en Cristo.

¿Te puedes imaginar lo que un periodista haría con semejante suceso?

PECADOR PERDONADO IRA A VIVIR CON EL JUEZ

Tensa era la escena al hallarse Juan y María ante el Juez, y las acusaciones les fueron leídas. Sin embargo, el Juez transfirió toda la culpa a Jesucristo, que murió en una cruz en el lugar de Juan y María.

Una vez que Juan y María fueron perdonados el Juez los invitó a que fuesen a vivir con El para siempre.

El periodista que relatara semejante historia jamás podría comprender la ironía de dicha escena, a menos que le hubiesen presentado al Juez de antemano y conociese su caracter.

El perdón y la justicia de Cristo vienen a nosotros sólo cuando confiamos totalmente en Jesús como nuestro Señor y Salvador. Cuando hacemos esto, Dios nos da la bienvenida a lo más íntimo de su favor. Una vez vestidos de la justicia de Cristo podemos gozar la comunión con Dios y acercarnos "confiadamente al trono de la gracia, para alcanzar misericordia y hallar gracia para el oportuno socorro" (Hebreos 4:16).

Conclusiones del testimonio

Si yo fuese abogado, estoy seguro de que estudiaría los procesos de los grandes juicios del pasado, las pruebas presentadas, y las conclusiones a que se llegó según los fallos.

Podemos sacar algunas conclusiones vitales de la muerte de Cristo. En primer lugar, en la cruz podemos ver la más poderosa prueba de la culpabilidad del mundo. En ella el pecado alcanzó su punto culminante cuando se produjo su terrible desenlace. El pecado no fue nunca tan negro ni tan odioso como en el día en que murió Cristo.

Algunas personas han dicho que el hombre ha mejorado desde entonces y que si Cristo regresase hoy no sería crucificado, sino que tal vez recibiría una gloriosa bienvenida. Estoy convencido de que si Cristo viniese hoy es posible que lo torturarían y lo matarían de un modo aún más rápido que lo hicieron hace dos mil años, aunque quizás lo hiciesen de manera más sofisticada y diferente. Pero la gente pecadora todavía gritaría: "Fuera con éste".

La naturaleza pecadora del hombre no ha cambiado. Al contemplar la cruz vemos que "todos pecaron, y están destituidos de la gloria de Dios". Este es el fallo inevitable de Dios.

La segunda conclusión que podemos sacar al contemplar la cruz es que Dios odia el pecado y ama la justicia. El nos ha dicho repetidamente que el alma que pecare morirá y que El no puede perdonar nuestro pecado a menos que nuestra deuda sea pagada. Las Escrituras dicen: "Sin derramamiento de sangre no hay perdón de pecados" (Hebreos 9:2, LA).

Dios no está dispuesto a tolerar el pecado; como juez moral de todo el universo, El no puede transigir si ha de continuar siendo justo. Su santidad y su justicia exigen el castigo de una ley quebrantada. Hay algunas escuelas que sienten que dicha opinión de Dios es demasiado severa. Dicen que el pecado tiene su base sicológica. Hace algún tiempo un joven fue ejecutado por haber dado muerte a otros dos jóvenes. Los periódicos abundaban en argumentos legales y en los debates en cuanto a la pena de muerte y el hecho de que continuamente postergaban la fecha de la ejecución. ¿Por qué lo hizo? ¿Qué sucesos o qué personas en su pasado influyeron en su mente torcida?

Muchas personas dicen no ser responsables de sus acciones, y le echan la culpa a los padres pobres, el mal ambiente, al gobierno; pero Dios dice que nosotros somos responsables. Cuando contemplamos la cruz, vemos el modo tan drástico en que Dios se ocupa del pecado. La Biblia dice: "El que no escatimó ni a su propio Hijo, sino que lo entregó por todos nosotros, ¿cómo no nos dará también con él todas las cosas?" (Romanos 8:32). "A aquel [Cristo] que no conoció pecado, [Dios] le hizo pecado a causa de nosotros" (2 Corintios 5:21, VM).

Si Dios tuvo que mandar a su Hijo unigénito a la cruz para que pagase la pena del pecado, entonces el pecado debe ser verdaderamente horrible a sus ojos.

Sin embargo, vemos que Dios ama la justicia y viste al creyente en Su justicia gracias a la cruz. ¡Qué cosa tan sorprendente! Estamos vestidos, estamos cubiertos, estamos protegidos y amparados. Un himno antiguo y maravilloso dice: "Jesús, tu sangre y tu justicia son mi belleza y mi precioso vestido".[1] Esto no es ser justo en la propia estimación, sino "la justicia que proviene de Dios y se basa en la fe" (Filipenses 3:9, LA).

Dios está ahora obrando por medio del Espíritu Santo para que el creyente sea justo en su carácter interno. Pedro muestra lo íntimamente que esto se basa en la cruz cuando también dice de Cristo que "llevó él mismo nuestros pecados en su cuerpo sobre el madero, para que nosotros, estando muertos a los pecados, vivamos a la justicia" (1 Pedro 2:24).

¿A qué otra conclusión podemos llegar al ver el testimonio de la cruz? Vemos la mayor demostración del amor de Dios: "Porque de tal manera amó Dios al mundo, que ha dado a su Hijo unigénito, para que todo aquel que en él cree, no se pierda, mas tenga vida eterna" (Juan 3:16).

En nuestra propia debilidad como humanos que somos tenemos la tendencia a catalogar el pecado. He aquí un pequeño pecado en nuestra escala, pero allí hay otro pecado muy, muy gordo. Creemos que Dios puede perdonar el pecado pequeño, pero que es incapaz de perdonar y aceptar el pecado gordo. Recuerdo una historia sacada de la Segunda Guerra Mundial que ilustra esto de una manera gráfica. Hitler y su Tercer Reich habían sido derrotados por los Aliados. Muchos de los hombres que habían sido dirigentes Nazis en algunos de los crímenes más viles conocidos por el hombre fueron traídos a juicio en Nuremberg. El mundo estuvo a la espectativa mientras estos criminales eran sentenciados a la cárcel o a la muerte.

Sin embargo, de los juicios de Nuremberg surgió un relato sorprendente por el capellán Henry Gerecke. Fue designado capellán de la prisión donde se encontraban algunos de los que habían formado el alto mando Nazi. El se describió como un humilde predicador, que había sido criado en una granja en Missouri, y de repente se había encontrado con esta tarea tan difícil.

El capellán Gerecke recordaba la sincera conversión a la fe en Jesucristo, de algunos de aquellos hombres que habían cometido los más terribles crímenes. Uno de ellos había sido un general favorito de Hitler. Al principio el capellán se mostro receloso ante las confesiones de fe. Dijo que la primera vez que vio a ese criminal leer su Biblia pensó que era "un farsante", pero al pasar más tiempo con él escribió: "Pero cuanto más escuchaba, más sentía que era posible que fuese sincero. Dijo que no había sido un buen cristiano e insistió en que estaba muy contento de que una nación que probablemente lo mandaría a la muerte se preocupase lo suficiente de su bienestar espiritual como para facilitarle una guía espiritual". Con su Biblia en la mano, me dijo: "Sé por este libro que Dios puede amar a un pecador como yo".[2]

¡Qué amor tan asombroso mostró Dios por nosotros en la cruz!

La cuarta conclusión a la que podemos llegar por el testimonio de la cruz es que es la base para una auténtica hermandad mundial. Hay muchos grupos que defienden la hermandad del hombre y hablan a favor de la paz. Sólo cuando entramos a formar parte de la familia de Dios por medio de la Paternidad de Dios puede existir una auténtica hermandad del hombre. Dios no se convierte en nuestro Padre de manera automática (excepto por creación) cuando nacemos; debe convertirse en nuestro Padre espiritual.

La Biblia enseña que podemos experimentar la gloriosa hermandad y Paternidad por medio de la cruz. "Porque él es nuestra paz, que de ambos pueblos hizo uno, derribando la pared intermedia de separación, aboliendo en su carne las enemistades, la ley de los mandamientos expresados en ordenanzas, para crear en sí mismo de los dos un solo y nuevo hombre, haciendo la paz" (Efesios 2:14, 15).

Fuera de la obra de la cruz vemos amargura, intolerancia, odio, prejuicios, lascivia y avaricia. Bajo la poderosa obra de la cruz nacen el amor, la nueva vida y la nueva hermandad. La única esperanza de paz que tiene la humanidad está en la cruz de Cristo, donde todos los hombres, sin importar su posición social, su nacionalidad ni su raza, pueden formar parte de una nueva hermandad.

Probablemente estés familiarizado con la historia de Hansi. Su libro *Hansi* describe muy gráficamente su absoluta dedicación a Adolph Hitler y al movimiento Nazi como partidaria de la juventud hitleriana; cómo al pasar el tiempo se sintió desilusionada y frustrada; y su posterior conversión a Jesucristo. Mi esposa recibió una carta de Hansi en la que le contaba su primer encuentro con Corrie ten Boom, cuyo libro "*El refugio secreto*" relata las experiencias de la familia ten Boom durante la Segunda Guerra Mundial. La familia fue arrestada y encarcelada por haber escondido a judíos y el padre y la hermana de Corrie murieron allí.

Un día Hansi y Corrie se encontraban en una convensión y estaban sentadas en el mismo edificio, firmando autógrafos en sus libros. Hansi esperó todo el tiempo que le fue posible, y después se dirigió a donde se encontraba Corrie porque sencillamente tenía que pedirle perdón por lo que ella había hecho. Hansi se abrió camino entre las personas que estaban en fila con sus libros, esperando que Corrie los firmase, se arrodilló ante Corrie y con las lágrimas que le caían por las mejillas dijo: "Corrie, yo soy Hansi". La reacción de Corrie no sólo fue una de perdón absoluto, sino de amor y aceptación. Esto solamente podía haber sucedido entre cristianas e ilustra lo que hace la cruz.

El capitán Mitsuo Fuchida fue el comandante de la fuerza aérea naval japonesa que encabezó el ataque a Pearl Harbor, Hawai. El relata que cuando los prisioneros de guerra japoneses estaban regresando de los Estados Unidos sintió curiosidad en cuanto al trato que habían recibido. Un ex prisionero al que interrogó le contó lo que hizo posible que aquellos que estaban en el campo de concentración olvidaran su odio y hostilidad hacia sus apresadores. Una muchacha se había mostrado tan tremendamente amable y había sido una gran ayuda, había mostrado tal amor y ternura hacia ellos que sus corazones se sintieron conmovidos. Se preguntaban por qué la muchacha era tan buena con ellos y se quedaron sorprendidos cuando ella les dijo que era porque sus padres habían muerto a manos del ejército japonés. Ella explicó que sus padres habían sido misioneros cristianos en las Filipinas al principio de la guerra, pero cuando llegaron los japoneses, se vieron obligados a huir a las montañas. Más adelante los japoneses los encontraron, los acusaron de ser espías y los mataron, pero antes de que los matasen pidieron media hora para orar, cosa que les concedieron. La muchacha estaba convencida de que sus padres habían pasado esa media hora orando para que el Señor perdonase a sus verdugos, y debido a esto ella pudo dejar que el Espíritu Santo quitara el odio de su corazón y lo reemplazara con amor.

El capitán Fuchida no podía entender semejante amor. Transcurrieron varios meses y un día en Tokio alguien le dio un tratado al salir de la estación de ferrocarril. El tratado relataba la historia del sargento Jacob DeShazer que había sido apresado por los japoneses, lo habían torturado y durante cuarenta meses había sido prisionero de guerra. Mientras se encontraba en el campo de concentración recibió a Cristo mediante la lectura de la Biblia. La Palabra de Dios hizo que desapareciese su odio hacia los japoneses y en lugar de ello comenzó a amarlos de tal manera que se vio obligado a regresar al Japón para hablar a la gente del maravilloso amor de Cristo.

El capitán Fuchida compró una Biblia y comenzó a leerla. Vio en su mente la escena de la crucifixión de Cristo y se quedó completamente sorprendido por las palabras de Jesús: "Padre, perdónales, porque no saben lo que hacen" (Lucas 23:24). Jesús oró por los mismísimos soldados que estaban a punto de atravesar su costado. En su libro *From Pearl Harbor to Golgotha* el capitán Fuchida relata cómo encontró la fuente de ese amor milagroso que puede perdonar a los enemigos, y que a partir de entonces pudo comprender la historia de la muchacha norteamericana, cuyos padres habían sido asesinados y la transformación sufrida en la vida de DeShazer.

Interrogantes personales que hallan respuesta en la cruz

"¿Por qué parece que no puedo resolver mis problemas?" Esta pregunta me recuerda una caricatura de Carlitos. En ella vemos a Lucy, en su consulta de siquiatra que aconseja a Charlie Brown. Charlie ha perdido otro partido de béisbol y se siente deprimido y vencido. Lucy, la siquiatra, le explica que la vida está compuesta de altibajos. Charlie se marcha gritando: "Pero si odio los bajos, todo lo que quiero son altos".

Me temo que aquellos de nosotros que enseñamos el mensaje cristiano a menudo damos la impresión de que una vez que hayamos aceptado a Jesucristo nunca más tendremos problemas. Esto no es verdad, pero sí tenemos Alguien que nos ayude a afrontar nuestros problemas. Tengo una amiga parapléjica que ha estado así durante más de treinta años. A pesar de sus abrumadores problemas para los que no hay solución, no sólo ha aprendido a vivir con su condición, sino que es una persona radiante y jubilosa, es fuente de bendición y está ganando a otros para Cristo.

Paul Tournier, uno de los grandes siquiatras suizos, ha afirmado que tenemos que darnos cuenta de que en la vida cristiana cada día tendremos que enfrentarnos con nuevas circunstancias y siempre habrá que hacer modificaciones. Si yo voy a la ciudad en mi coche, no puedo colocar las manos rígidamente sobre el volante y conducir sólo a una velocidad determinada. Tengo que detener y partir y virar para hacer modificaciones. Lo mismo sucede con la vida diaria. Para ser una persona siempre hay que pagar un precio y parte de ese precio es el dolor y los problemas, pero tenemos la promesa que Cristo hizo de que El siempre está con nosotros.

En el Salmo 34 hay tres grandes afirmaciones acerca de nuestros problemas:

"Este pobre clamó y le oyó Jehová, y lo libró de todas sus angustias" (v. 6).

"Claman los justos, y Jehová oye, y los libra de todas sus angustias" (v. 17).

"Muchas son las aflicciones del justo, pero de todas ellas le librará Jehová" (v. 19).

La vida cristiana no es una "salida" sino un camino "de paso" por la vida. El "de" en estos versículos no se refiere a ser librado de la dificultad, sino a través de ella. El doctor Arthur Way, erudito inglés, lo expresó del siguiente modo:

"Ser librados al experimentar la crisis de una prueba, y no de pasar por ella. De modo que el sentido parece ser 'ayúdame a pasar con seguridad por la prueba' " y no "sencillamente líbrame de pasar por ella".

Otra pregunta es: "Me siento tan culpable, ¿cómo puedo sentir alivio?"

La culpabilidad es un sentimiento que debilita mucho. Puede destruir nuestras actitudes, nuestras relaciones personales y nuestro alcance. Algunas veces nos sentimos culpables porque hemos hecho cosas que están mal por las que debemos aceptar la responsabilidad y también aceptar el perdón de Dios.

Muchos médicos me han dicho que un elevado procentaje de los pacientes de los hospitales siquiátricos podrían ser dados de alta si hubiese manera de asegurarles del hecho de que han sido perdonados.

Resulta tan fácil echarle la culpa a otra cosa o persona. Anna Russell, la cómica inglesa, tiene una pequeña y muy interesante poesía acerca de la culpabilidad:

Fui a mi siquiatra para ser sicoanalizado.
Para averiguar por qué le pegué al gato, y le amoraté el ojo a mi esposa.
Me hizo tender en su mullido sofá para ver qué hallaba, y he aquí lo que sacó de mi mente subconsciente:
Cuando yo tenía un año mi madre escondió mi muñeco en un baúl, y por tanto es natural que yo siempre me emborrache.
Cuando tenía dos años sufría de ambivalencia hacia mis hermanos, así que es natural que yo envenenase a todas mis amantes.
Ahora estoy tan contento de haber aprendido todas las lecciones que esto me ha enseñado,
que todo lo malo que hago es siempre culpa de otro.[3]

Para algunas personas la culpabilidad es una excusa. No están dispuestas a aceptar el perdón que les ofrecen; es tan difícil creerlo. Cuesta creer que Dios nos permita quedar eternamente libres de nuestros pecados y, sin embargo, ese es el mensaje que nos trae el evangelio. Cuando nos aferramos a nuestra culpa no honramos a Dios y ponemos tremendos impedimentos en nuestras vidas.

En la cruz Cristo nos ofreció la oportunidad del perdón. Cuando aceptamos su perdón y estamos dispuestos a perdonarnos nosotros mismos, entonces nos sentimos aliviados.

Una vez que las estaciones depuradoras de Londres han reclamado todo lo que puede ser utilizado de las aguas servidas, las barcazas para cieno sobre el río Támesis recogen el residuo y lo llevan hasta el mar a una distancia determinada y lo echan en él. Al parecer, sólo es preciso que transcurran unos pocos minutos antes de que el agua del mar esté tan pura como antes. Este es un ejemplo maravilloso de cómo El ha enterrado nuestros pecados en las profundidades de la mar.

Corrie ten Boom relata la historia de una niñita que rompió una de las preciadas tazas de porcelana de su madre. La niña vino a su madre sollozando: "Oh mamá, lo siento, he roto tu preciosa taza".

La madre respondió: "Ya sé que lo sientes y yo te perdono. Ahora deja de llorar". Entonces la madre barrió los pedazos de la taza rota y los tiró a la basura, pero a la niñita le gustó su sentimiento de culpabilidad, asi que fue al cubo de la basura, recogió los pedazos de la taza, los trajo a su madre y dijo llorando: "Madre, siento mucho haber roto tu bonita taza".

Esta vez la madre le habló con más severidad: "Coge los pedazos y ponlos de nuevo en el cubo de la basura y no seas tan tonta como para cogerlos otra vez. Ya te he dicho que te perdonaba, así que no llores más y no vuelvas a coger los pedazos rotos".

La culpabilidad desaparece por medio de la confesión y la limpieza. "Si confesamos nuestros pecados, él es fiel y justo para perdonar nuestros pecados, y limpiarnos de toda maldad" (1 Juan 1:9).

Sin embargo, la historia del pecado de David (Salmo 51) muestra que el perdón no impide las consecuencias naturales de nuestro pecado. El asesinato puede ser perdonado, pero eso no hace que el muerto vuelva a la vida.

Existe un conocido relato sobre unos pescadores, en Escocia, que se pasaron el día pescando. Esa noche estaban en una pequeña posada tomando té. Uno de los pescadores quiso, con un gesto característico, describir el tamaño del pez que se le escapó, alargando las manos justamente cuando la pequeña camarera se disponía a colocar la taza de té en su sitio. La mano y la taza chocaron, lanzando el té contra la pared de cal. En seguida una horrible mancha marrón comenzó a extenderse por la pared. El hombre que lo había hecho se sintió muy avergonzado y comenzó a pedir perdón, pero otro de los que estaban a la mesa se puso en pie y dijo: "No importa". Sacando una pluma de su chaqueta, comenzó a pintar alrededor de la fea mancha color marrón. No tardó en aparecer el dibujo de un magnífico ciervo con sus astas. El artista era sir Edwin Landseer, el principal pintor de animales de Inglaterra.

Para mí este relato es un precioso ejemplo del hecho de que si confesamos no sólo nuestros pecados, sino nuestros errores a Dios, El puede sacar de ellos algo bueno para nuestro bien y para su gloria. Por alguna razón es más difícil presentarle a Dios nuestros errores y estupideces que nuestros pecados. Los errores y las estupideces parecen tan tontos, mientras que el pecado parece ser algo resultante de nuestra naturaleza humana, pero Romanos 8:28 nos dice que si los entregamos a Dios El puede hacer que obren para nuestro bien y su gloria.

Cuando se hace un pastel en el horno, se pone la harina cruda, la levadura, la sal, el chocolate crudo, la manteca, etc., ninguno de los cuales tiene buen gusto de por sí, pero juntos hacen un pastel delicioso. Lo mismo sucede con nuestros pecados y nuestros errores, aunque por sí solos no sirven para nada, si los entregamos con una fe sencilla y sincera al Señor, El puede hacer que obren a su modo y a su tiempo para que de ellos surja algo bueno y redunde en su gloria.

Pregunta: "¿Tengo que comprender todo esto de la muerte de Cristo?"

Está muy por encima de la mente del hombre el comprender las profundidades del amor de Dios al enviar a su Hijo para que pagase el terrible precio. Por lo tanto, debemos aceptarlo por fe o continuamente llevaremos la carga de la culpa. La salvación viene sólo por Cristo, sólo por medio de la fe, y sólo para la gloria de Dios.

Jesús jamás dijo: "Sólo comprende", sino que dijo: "cree solamente".

Capítulo diez
Jesucristo está vivo

EN LA PLAZA ROJA de Moscú hay un mausoleo en el cual están embalsamados los restos de Lenin. El ataúd de cristal en la tumba ha sido visitado por millones de personas y en el ataúd dice: "Pues él fue el más grande dirigente de todos los pueblos de todos los tiempos. Fue el señor de la nueva humanidad; fue el salvador del mundo".

El homenaje rendido a Lenin se expresa en pasado. ¡Qué gran contraste con las palabras triunfantes de Cristo: "Yo soy la resurrección y la vida; el que cree en mí, aunque esté muerto, vivirá"! (Juan 11:25).

La base de nuestra fe en Jesucristo se halla en su resurrección. Karl Barth, el gran teólogo suizo, dijo que sin creer en la resurrección física de Jesucristo no hay salvación.

Si Cristo estuviese enterrado en algún sepulcro cerca de Jerusalén, donde los millones que cada año visitan Israel pudiesen caminar junto a la tumba y rendirle culto, entonces el cristianismo sería una fábula. El apóstol Pablo, dijo: "Si Cristo no resucitó, vana es entonces nuestra predicación, vana es también vuestra fe. . . y si Cristo no resucitó, vuestra fe es vana; aún estáis en vuestros pecados" (1 Corintios 15:14, 17).

Normalmente escuchamos un sermón sobre la Resurrección cada Pascua y eso es todo, pero cuando los primeros apóstoles predicaron, la Cruz y la Resurrección fueron sus temas constantes. Sin la Resurrección, la Cruz no tiene significado.

¿Vivirá el hombre de nuevo?

Algunos dicen que no somos más que hueso, carne y sangre, y que una vez que hemos muerto no sucede nada y no vamos a ninguna parte. O si vamos a alguna parte es a un lugar nebuloso, fruto de la imaginación que puede representar prácticamente cualquier cosa.

¿Sirve de ayuda la ciencia? He preguntado a los científicos acerca de la vida después de la muerte, y la mayoría de ellos dicen: "No lo sabemos". La ciencia se ocupa de las fórmulas y de las probetas de ensayo, pero el mundo espiritual se encuentra fuera de su alcance.

Muchos que no creen en la vida después de la muerte llenan sus escritos de tragedia y pesimismo. Gore Vidal, Truman Capote, Dalton Trumbo y muchos otros escriben con un pesimismo casi continuo. ¡Cuán diferentes son las palabras de Jesucristo, que dijo: "Porque yo vivo, también viviréis vosotros"! (Juan 14:19). Debemos basar nuestra esperanza de inmortalidad solamente en Cristo, y no en ninguna clase de deseos, de argumentos o de sentimientos instintivos de inmortalidad.

La Biblia habla de la resurrección de Jesús como de algo que podía ser examinado por los sentidos físicos. Los discípulos lo vieron en distintas condiciones después que hubo resucitado. Un solo discípulo lo vio en una ocasión, pero quinientos lo vieron en otra. Algunos vieron a Jesús por separado, otros juntos; algunos por un momento, otros durante un largo tiempo.

Los discípulos lo oyeron en conversación. Se les dijo que lo tocasen para que verificasen la realidad física. Ellos lo tocaron, caminaron con El, conversaron con El, comieron con El y lo examinaron. Esto hizo que las apariciones de Jesús tras la resurrección no perteneciesen al campo de las alucinaciones, sino a la esfera de un hecho físico demostrable.

El hecho histórico provee la base para nuestra fe en la resurrección corporal de Cristo. Tenemos más evidencia a favor de ella que a favor de cualquier suceso de ese tiempo, ya sea secular o religioso.

¿Qué diremos de las otras religiones?

La mayoría de las religiones del mundo se basan en el pensamiento filosófico, excepto el judaísmo, el budismo, el islamismo y el cristianismo. Estas cuatro se basan en personalidades, pero sólo el cristianismo afirma que su fundador ha resucitado.

Abraham, el padre del judaísmo, murió unos diecinueve siglos antes de Cristo y no existe evidencia a favor de su resurrección.

Buda vivió unos cinco siglos antes de Cristo y enseñó principios de amor fraternal. Se cree que murió a la edad de ochenta años, y tampoco hay evidencia de que resucitase.

Mahoma murió en el año 632, y miles de mahometanos devotos visitan su tumba en Medina. Su lugar de nacimiento, la Meca, ve miles de peregrinos todos los años; sin embargo, no hay la más mínima evidencia que indique su resurrección.

Evidencias de la resurrección de Cristo

Existe algo llamado "la teoría del desmayo" según la cual Jesús no murió realmente, sino que sólo se desmayó. Comoquiera que no podría haber existido resurrección sin muerte, este pensamiento niega su resurrección. Pero la evidencia a favor de su muerte es amplia.

Los soldados estaban seguros de que Jesús estaba muerto, de modo que no tuvieron necesidad de inducir la muerte por shock quebrándole las piernas, como hicieron con los dos ladrones que estaban junto a El. No fueron los amigos de Jesús, sino sus enemigos los que certificaron su muerte, además de que se aseguraron al atravesarle el corazón con una espada.

Uno de los hombres más ricos del mundo, Howard Hughes,

murió hace poco. Los sucesos y las circunstancias que rodearon su muerte siguen siendo un misterio y con todo eso, durante años estuvo rodeado por hombres que lo seguían y lo protegían.

Sin embargo, en una ciudad del Oriente Medio existe más evidencia histórica a favor de la muerte de un hombre, solo en una cruz entre dos ladrones, que en ninguna otra a lo largo de la historia. El gran estudiante de la Biblia, Wilbur Smith dijo: "Digamos sencillamente que sabemos más acerca de los detalles de las horas inmediatamente anteriores a la muerte de Jesús en Jerusalén y cerca de ella, de lo que sabemos acerca de la muerte de ningún otro hombre en el mundo antiguo".[1]

Jesús fue enterrado. Sabemos más acerca de la sepultura de Jesús de lo que sabemos acerca del entierro de ningún personaje de la antigua historia. Su cuerpo fue bajado de la cruz y vendado con lino fino con especias. José de Arimatea, hombre rico y discípulo secreto de Jesús, se armó de valor y le pidió a Pilato el cuerpo de Jesús. Cuando le concedieron su petición, se nos dice, lo bajó de la cruz y lo envolvió en una sábana de lino (Mateo 27:59). Se nos dice que Nicodemo (el mismo dirigente religioso que le había preguntado a Jesús cómo era posible nacer de nuevo) vino y trajo una mezcla muy cara de mirra y áloes para envolver juntamente con el lino, como era la costumbre en los entierros judíos.

El cuerpo de Jesús fue colocado en la propia tumba de José, que se encontraba en un jardín. Este proceso de enterramiento muestra que fue el cuerpo de Jesús, y no su espíritu, el que fue sepultado. Los espíritus son inmateriales y no pueden ser enterrados.

Una vez que Jesús fue sepultado, colocaron una enorme piedra ante la tumba, y sellaron el lugar. Cualquier persona que hubiese intentado remover la piedra de la entrada a la tumba hubiese tenido que romper el sello romano y afrontar las consecuencias de la dura ley romana.

A fin de asegurarse que sus discípulos no robasen su cuerpo, colocaron una guardia romana ante la piedra sellada. Los enemigos de Jesús no querían correr ningún riesgo de que la profecía acerca de su resurrección tuviese lugar.

¿Qué hay de la guardia romana? Estos hombres no eran

cobardes. Su disciplina era tan severa que el castigo por abandonar su puesto, o incluso quedarse dormidos durante su trabajo, era la muerte.

Los historiadores dicen que seguramente hubo cuatro guardias para vigilar la tumba, todos ellos dotados de poderosas armas y escudos. No se corrió el menor riesgo de que este Jesús fuese llevado de la tumba.

La tumba vacía. Era el tercer día, el día en que Jesús dijo que resucitaría. La tierra comenzó a temblar alrededor de la tumba y además la armadura de los soldados romanos debió hacer un ruido tremendo. Y luego un ángel del Señor descendió del cielo y quitó la piedra con toda facilidad y se sentó sobre la tumba. Ni siquiera tuvo que decir: "¡Hola, muchachos!" Los soldados sencillamente lo miraron y se convirtieron en algo como hombres muertos. El ángel les habló a María Magdalena y a María, pero la Biblia dice que éstas se pusieron en marcha y corrieron a decirles a los discípulos que El había resucitado.

Cuando Pedro y Juan vinieron corriendo a la tumba, Juan echó un vistazo al interior y vio los paños de lino en los que Cristo había estado envuelto, que estaban allí vacíos. Pedro, fiel a su carácter, entró de inmediato y se encontró con que faltaba el cuerpo de Jesús. No estaba.

La resurrección corporal fue un hecho al que atestiguaron cientos de testigos oculares. Ha quedado constancia de que Jesús se apareció en trece ocasiones diferentes bajo distintas circunstancias. Su cuerpo era a la vez similar y diferente al que había sido clavado en la cruz. Era tan parecido al cuerpo corriente de los humanos que María lo confundió con el hortelano, junto a la tumba, cuando se le apareció. Podía comer, hablar a la gente y ocupar espacio.

Sin embargo, su cuerpo no era como un cuerpo normal porque podía atravesar las puertas cerradas o desaparecer en un momento. El cuerpo de Cristo era físico y a la vez espiritual. ¿Por qué ha de sorprendernos eso? Pablo le dijo al rey Agripa: "¿Se juzga entre vosotros cosa increíble que Dios resucite a los muertos?" (Hechos 26:8).

La Biblia afirma una y otra vez el hecho de la resurrección corporal de Cristo. Lucas lo dice de una manera muy directa en el libro de Los Hechos. El informa que Jesús "después de haber padecido, se presentó vivo con muchas pruebas indubitables, apareciéndoseles durante cuarenta días" (Hechos 1:3).

Al hablar acerca de esas "pruebas indubitables" C. S. Lewis dice: "El primer hecho en la historia de cristianismo es el gran número de personas que dicen haber visto la Resurrección. Si hubiesen muerto sin hacer que nadie más creyese este "evangelio", nunca se habrían escrito los evangelios".[2]

La Resurrección es esencial

Hay una serie de sucesos que forman eslabones en una cadena de eternidad en eternidad. Estos incluyen la encarnación de Jesús, su crucifixión, su resurrección, su ascensión y su retorno. Si faltase uno solo de estos eslabones la cadena quedaría destrozada.

Si se rechaza la Resurrección, todo el cristianismo como sistema de verdad se derrumba. En las palabras de Pablo: "Si Cristo no resucitó, vana es entonces nuestra predicación, vana es también vuestra fe" (1 Corintios 15:14).

Además de romper la cadena de sucesos redentores, si la Resurrección no fuese esencial, entonces las buenas nuevas de salvación resultarían insípidas, sin vida y negativas. La Resurrección es central para el evangelio. Pablo dijo: "Además os declaro, hermanos, el evangelio que os he predicado, el cual también recibisteis, en el cual también perseveráis; por el cual asimismo, si retenéis la palabra que os he predicado, sois salvos, si no creísteis en vano. Porque primeramente os he enseñado lo que asimismo recibí: Que Cristo murió por nuestros pecados, conforme a las Escrituras; y que fue sepultado, y que resucitó al tercer día, conforme a las Escrituras" (1 Corintios 15:1-4).

En mi libro *El mundo en llamas*, relato la historia de Auguste Comte, el filósofo francés, y Thomas Carlyle, el ensayista escocés. Comte dijo que iba a iniciar una nueva religión que suplantara a la religión de Cristo. No tendría misterios, sería tan clara como la tabla de multiplicar, y se llamaría positivismo. "Muy bien, señor Comte", le respondió Carlyle, "muy bien. Todo lo que tiene usted que hacer es hablar como ningún otro ha hablado y vivir como nadie vivió jamás, y ser crucificado y resucitar al tercer día, y lograr que el mundo crea que está usted vivo todavía. Entonces su religión tendrá posibilidades de salir adelante".

Hoy en día están surgiendo muchas nuevas religiones, salen como las setas después de la lluvia del verano. Me pregunto cuántos podrían responder al criterio que Carlyle expuso a su amigo.

A lo largo de este libro hemos estado enfatizando la experiencia del nuevo nacimiento. La experiencia personal de la salvación está directamente relacionada con la fe en la Resurrección. Pablo nos dio la fórmula para la fe salvadora y mostró que se centra en esta creencia: "Si confesares con tu boca que Jesús es el Señor, y creyeres en tu corazón que Dios le levantó de los muertos, serás salvo. Porque con el corazón se cree para justicia, pero con la boca se confiesa para salvación" (Romanos 10:9, 10).

Las Escrituras no pueden ser más claras. Pero a pesar de esto hay iglesias en las que los pastores dicen que creen en la Resurrección, pero que eso significa que inmediatamente Jesús resucitó de la muerte a una vida espiritual con Dios. Dicen que creen en una resurrección "espiritual", pero no en una "física". Esto es lo que algunos predicadores actuales proclaman la mañana de Pascua, aunque yo me alegro de que cada vez sean menos.

No es de sorprender que haya tantas personas en las iglesias que semana tras semana, año tras año, están sin oír el evangelio completo y sin saber lo que significa nacer de nuevo. Oyen un evangelio incompleto y, por lo tanto, no se enteran de las buenas nuevas. La Resurrección no fue incorpórea, sino que fue física. Los testigos dijeron: "Vimos su gloria", "Le veréis", "El se apareció", "he visto a Jesús el Señor".

En el breve lapso de tres días tuvieron lugar los dos acontecimientos: la muerte y la resurrección, corporal, no simbólicamente; tangible, no espiritualmente, presenciados por hombres de carne y hueso, no fabricados por alucinaciones.

La Resurrección fue además la garantía y la promesa de nuestra propia resurrección.

A fin de comprender esto necesitamos ver que, en la Biblia,

la muerte afecta tanto a la personalidad como al cuerpo. (Recordemos las tres dimensiones de la muerte.) También el cuerpo ha de ser liberado de la condenación. Solamente resucitando el cuerpo podía Dios vencer de una manera absoluta la muerte. Comenzó con el cuerpo de Cristo, pero también obrará de manera similar con los cuerpos de los que han creído. Del mismo modo que el juicio de la muerte fue total, la salvación de la pena de muerte es total, incluso lo físico, lo espiritual y lo eterno.

Evidentemente nuestros cuerpos resucitados podrán ser reconocibles, pero no podrán ser exactamente los mismos cuerpos que tenemos aquí. Sin embargo, deben ser como el cuerpo resucitado de Cristo. El tenía las huellas de los clavos y la herida en su costado, pero a pesar de ello podía atravesar las puertas cerradas. Cuando llegó el momento de que se fuese al cielo pudo ascender.

¡Qué promesa más fantástica! "Porque si creemos que Jesús murió y resucitó, así también traerá Dios con Jesús a los que durmieron en él" (1 Tesalonisences 4:14).

Jesús lo arriesgó todo sabiendo que resucitaría de los muertos. Por su resurrección sería juzgado verdadero o falso.

¿Qué significa la Resurrección para nosotros hoy dia?

Cristo vive con cada una de las personas que depositan su confianza en El. La Resurrección significa la presencia del Cristo vivo, y El dijo: "He aquí yo estoy con vosotros todos los días, hasta el fin del mundo" (Mateo 28:20). Esta es la mismísima garantía de Cristo: la vida tiene un nuevo significado. Después de la crucifixión, los discípulos dijeron en su desesperación: "Pero nosotros esperábamos que él era el que había de redimir a Israel" (Lucas 24:21). Se sentían angustiados porque pensaron que la muerte de Cristo era una gran tragedia. Para ellos la vida había perdido su significado, pero cuando El resucitó, vieron al Cristo vivo y una vez más la vida cobró significado.

Nosotros también podemos hacer nuestras las oraciones del Cristo vivo. La Biblia dice: "Cristo es el que murió; más aún, el que también resucitó, el que además está a la diestra de

Dios, el que también intercede por nosotros" (Romanos 8:34). No tenemos porqué pensar que nuestras oraciones no pasan del techo. El Cristo vivo está sentado a la diestra de Dios el Padre. Dios el Hijo sigue con la misma humanidad que adoptó para salvarnos, y ahora vive en un cuerpo que tiene aún las señales de los clavos en las manos. El es nuestro gran Sumo Sacerdote, que intercede por nosotros ante Dios el Padre.

La presencia resucitada de Cristo nos da el poder para vivir nuestra vida día tras día y para servirle. "De cierto, de cierto os digo: El que en mí cree, las obras que yo hago, él las hará también; y aun mayores hará, porque yo voy al Padre" (Juan 14:12).

El cuerpo resucitado de Jesús es el modelo de lo que serán nuestros cuerpos cuando nosotros también resucitemos de entre los muertos. Poco importa las aflicciones, el dolor o las deformaciones que hayan tenido nuestros cuerpos terrenales, recibiremos nuevos cuerpos. ¡Qué gloriosa promesa de cosas venideras! "Mas nuestra ciudadanía está en los cielos, de donde también esperamos al Salvador, al Señor Jesucristo; el cual transformará el cuerpo de la humillación nuestra, para que sea semejante al cuerpo de la gloria suya, por el poder con el cual puede también sujetar a sí mismo todas las cosas" (Filipenses 3:20, 21).

Miles de personas hoy en día se sienten entusiasmadas por la profecía biblíca. La revelación de lo que dice la Biblia acerca de los sucesos pasados, presentes y futuros, se ha convertido en algo más prominente en los temas de los libros, de los sermones y de las conferencias. La segunda venida de Cristo se está convirtiendo en una realidad cada vez más cercana para aquellos de nosotros que estudiamos la Biblia y los sucesos del mundo.

Todo el plan para el futuro tiene su clave en la Resurrección. A menos que Cristo haya resucitado de entre los muertos, no puede haber reino ni un retorno del Rey. Cuando los discípulos se hallaban en el lugar desde el cual Jesús dejó esta tierra, que se llama el lugar de la Ascensión, los ángeles les aseguraron que el Cristo de la Resurrección sería el Cristo del glorioso retorno. "Varones galileos, ¿por qué estáis mirando al cielo? Este mismo Jesús, que ha sido tomado de vosotros al cielo, así vendrá como le habéis visto ir al cielo" (Hechos 1:11).

La Resurrección es un suceso que nos prepara y nos confirma ese acontecimiento futuro cuando El habrá de venir de nuevo.

Sí, Jesucristo está vivo.

Evidentemente la resurrección física de Cristo es parte esencial del plan de Dios para salvarnos. ¿Te has entregado a este Cristo vivo?

Una mujer nos escribió lo siguiente: "Anoche yo estaba sola y estaba viendo la televisión. No tenía un *Tele Programa*, pero algo me impulsó a poner el canal donde estaban predicando el evangelio. Yo había estado luchando terriblemente con un gran problema. Estaba y sigo estando amenazada por la muerte y puede que la cirugía me ayude o puede que no. Había estado postergando la operación porque me temía estar aislada de Dios.

"Comencé de verdad a buscar al Señor y el mensaje que escuché fue el modo que Dios utilizó para hablarme y dar respuesta a mis oraciones. Ahora me siento con una paz perfecta en el alma".

Si tú confías en el Cristo resucitado como tu Señor y Salvador tuyo, El estará contigo cuando mueras, y te dará vida para siempre con El. Gracias a la Resurrección tú puedes "nacer de nuevo".

III.
La respuesta del hombre

Capítulo once
El nuevo nacimiento es para ahora

CUANDO ACABAMOS de leer el periódico matutino el café parece amargo y la tostada fría. Otra sedición en Egipto. Africa dividida por facciones rivales. El Oriente Medio parece estar en calma hasta que otro incidente fronterizo hace que se produzcan nuevas hostilidades. Tres estudiantes asesinados en una importante universidad del estado.

¿Qué puede hacer el individuo corriente? Se siente inadecuado e impotente. Ni los comités, ni las resoluciones, ni los cambios de gobierno parecen cambiar a la sociedad.

Vemos que si hay que salvar a la humanidad es preciso hacer algo radical rápidamente. Las fuerzas que se están intensificando en nuestro mundo son tan abrumadoras que hombres y mujeres por todas partes están empezando a clamar en su desesperación. Se sienten como el hombre que describe Juan Bunyan al principio del *Peregrino*. ". . . estaba profundamente angustiado de corazón, se deshizo en lágrimas, y clamó: '¿Qué haré para ser salvo?' "

En nuestro mundo hay tantas cosas que parecen mejorar, pero no así el hombre. Somos capaces de mandar una nave espacial a la luna y tomar fotografías a corta distancia de

Marte, pero no podemos andar con seguridad por las calles de noche. Los sutiles pecados del egoísmo y la indiferencia están por todas partes; hombres y mujeres que parecían rectos confiesan tener deseos de lo más indecoroso. (¿Y quién se escandaliza ya?) La perversidad humana surge cuando las personas roban, engañan, mienten, asesinan y violan.

Una persona en la industria cinematográfica dijo que todo cuanto tendríamos que hacer para ver el cambio de moralidad tan grande que se ha producido, es comparar los títulos de algunas de las antiguas películas clásicas con los que aparecen hoy en escena. Hay un largo trecho desde *Por quién doblan las campanas* hasta *Garganta profunda (Deep Throat).*

El hombre ha hecho muchos intentos por reformarse. Hemos intentado sin éxito alcanzar metas morales mejorando el medio ambiente y muchos se sienten desilusionados con los resultados.

¿Cómo podemos cambiar la naturaleza humana?

Desde afuera para adentro

Los estudios antropológicos, sicológicos y sociológicos para descubrir las leyes del comportamiento humano forman una parte esencial de la investigación educativa. Sin embargo, con demasiada frecuencia los propios investigadores desatienden el hecho del pecado humano y ven al ser humano como un ente que procede de una combinación de genes y cromosomas, y formado después por el medio ambiente que lo rodea. Un zoólogo de Harvard introdujo en una reunión de la Asociación Antropológica Americana una nueva disciplina para la comunidad académica. El la llama "sociobiología", que se describe como "el estudio de la base biológica del comportamiento social en cada especie; sus adeptos creen que parte, y tal vez mucho, del comportamiento humano está genéticamente determinado".[1]

Los sociobiólogos sugieren que "una parte aún mayor de la moralidad de los hombres puede que tenga una base genética".[2] Su error consiste en que no dan su debido lugar a la tendencia nata hacia el egoísmo, la perversidad y la indiferencia hacia Dios, de modo que muchas de sus conclusiones son solamente seudocientíficas.

Si lo que nos da la forma son los genes y lo que nos amolda es el medio ambiente, entonces todo lo que necesitamos hacer es idear la manera de alterar la base genética en los humanos o remediar el medio ambiente del hombre en lo que se refiere a las viviendas inadecuadas, los barrios pobres, el desempleo y la discriminación racial.

Uno de los autores más leídos dijo: "En la actualidad muchos pastores se muestran casi indiferentes ante los asuntos del pecado y del arrepentimiento de las personas y dirigen su ataque hacia los pecados de la sociedad, en un intento por hacer que la sociedad se retuerza. Este 'ataque' va de un leve sermón sociológico a un furioso ataque contra las injusticias sociales. Sin embargo, los barrios pobres, los guetos y las críticas negativas no desaparecerán de la sociedad a menos que los barrios pobres y los juegos desaparezcan de los corazones de la gente".[3]

Pero como cristianos que somos necesitamos hacer algo con las injusticias sociales, con los barrios pobres y con los guetos. No podemos quedarnos cómodamente sentados pensando que los problemas resultan demasiado abrumadores o insolubles. Debemos meternos de lleno y ayudar a hacer de este mundo un lugar mejor para vivir para aquellos menos afortunados cuyo nivel de vida es tan bajo que escapa a la imaginación, y para aquellos que viven bajo una terrible opresión política. Pero a la postre la sociedad no cambiará por medio de la opresión o la fuerza porque cuando se pretende cambiarla de ese modo, normalmente el hombre pierde su libertad. Puede ser cambiada sólo por una transformación completa del corazón humano.

El hombre también intenta cambiar por medio de la *química*. Los científicos han ideado métodos para controlar el comportamiento humano por medio de las drogas, que en algunos casos han sido de ayuda. Se está realizando una gran cantidad de investigaciones que pueden beneficiar a los enfermos mentales; el peligro consiste en que si estas drogas cayeran en manos de un dictador mundial podría controlar a toda una poblacion de personas normales. Los relatos de los prisioneros en los países oprimidos verifican cómo los que en la actualidad manipulan con la mente, hacen un mal uso de las drogas para influir en las acciones humanas.

Uno de ellos escribió: "Yo fui testigo presencial del trato que sufren los prisioneros políticos en los hospitales siquiátricos cuando trataban de protestar al rehusar los alimentos y los 'tratamientos' que se les imponía. Los ataban y les inyectaban un sulfuro paralizador y los alimentaban por la fuerza. . . Han inventado medidas poderosas para librarse de aquellos que no piensan como ellos. No sólo no vacilan en encerrarlos en hospitales-prisiones, sino que también complican su crimen inyectando a los prisioneros sustancias químicas que destruyen su personalidad y su intelecto".[4]

Los cambios en la química de nuestro cuerpo pueden beneficiarnos o pueden dañarnos permanentemente; la pregunta importante es: "¿Quién administra las drogas y con qué propósito?"

Se están realizando experimentos que tienen como fin poder dar a una persona la capacidad intelectual de otra por medio de lo que los manipuladores de la mente llaman "reencarnación artificial". En un estudio procedente de Rusia se informó que uno de los más importantes físicos del país había experimentado con "sintonizar una mente a otra telepáticamente". El científico explicó: "Cuando esto sucede, el maestro puede enseñarle a un estudiante muy por encima de su capacidad mental, retransmitiendo sobre el mecanismo de defensa a la parte del cerebro que normalmente está 90 por ciento vacía". Sigue explicando que logró "reencarnar el genio matemático de un europeo a un estudiante universitario de matemáticas".[5]

Otro de los intentos humanos por resolver los problemas del hombre tiene que ver con la *microbiología*. El creciente éxito del transplante de órganos puede, con el tiempo, llegar a convertirse en un gran movimiento que cambie a las personas reemplazando ciertos órganos relacionados con el pensamiento, la conciencia y las emociones. Sin embargo, el evangelio de la microbiología, administrado por científicos que a su vez son pecadores y que tienen acceso solamente a la sustancia de un mundo caído, habrán de fracasar igualmente.

Muchos escritores de ciencia ficción consideran sus *especulaciones interplanetarias* la única fórmula para resolver los problemas del hombre, pero la dificultad fundamental consiste en que el pecado está demasiado arraigado en la naturaleza humana como para quedar desterrado por semejante influencia. Cuando se prescinde de Dios, los mismos que quieren resolver los problemas participan de ellos. Los superpoderes están ahora preparándose a toda prisa para una guerra "espacial". En las palabras del editorial de un periódico: "Quienquiera que gane la carrera podría controlar el mundo".

Muchas personas están intentando hoy en día resolver los problemas del hombre volviéndose al *mundo del ocultismo*. Buscan ciencia y poder en fuentes a las cuales la Biblia nos dice que debemos resistir de todo corazón. El apóstol Pablo dice: "Porque no tenemos lucha contra sangre y carne, sino contra principados, contra potestades, contra los gobernadores de las tinieblas de este siglo, contra huestes espirituales de maldad en las regiones celestiales" (Efesios 6:12). El mundo del ocultismo no es más que una fuente de terror y de destrucción.

Los métodos que utilizan los hombres para cambiar de afuera para adentro son variados y a veces sorprendentes.

Desde adentro para afuera

Jesús dijo que Dios puede cambiar a los hombres y a las mujeres desde adentro para afuera. Fue un reto, un mandamiento. El no dijo: "Bueno sería que nacieras de nuevo" o "Si te parece bien podrías nacer de nuevo". Jesús dijo: "*Tienes que* nacer de nuevo" (Juan 3:7, NTV).

Siempre me ha asombrado que Jesús le dijese semejante cosa a un devoto dirigente religioso como Nicodemo, que debió de quedarse atónito. Después de todo, Nicodemo era un hombre bueno, moral y religioso. Probablemente sus vecinos dirían de él: "Es un hombre maravilloso, podríamos confiarle nuestra vida. Es un gran teólogo". Nicodemo ayunaba dos veces por semana, se pasaba dos horas al día en oración en el templo y diezmaba de todo cuanto recibía. Era un catedrático de teología en el seminario local. Si un comité estuviese buscando un pastor que fuese el mejor hombre que pudiesen conseguir para su iglesia local, podrían buscar un hombre como Nicodemo, pero Jesús dijo que toda su piedad y toda su bondad no eran suficientes; le dijo: "tienes que nacer de nuevo".

A pesar de toda su educación y de su posición profesional Nicodemo vio algo muy especial en Jesucristo, algo que no podía comprender. Vio en Jesús una nueva calidad de vida. Nicodemo quiso sinceramente averiguar de qué se trataba esa nueva dimensión de la vida.

Cuando Jesús le dijo que a menos que uno nazca de nuevo no puede ver el reino de Dios, le estaba explicando a Nicodemo que no era preciso que mejorase su nivel moral o que aumentase su capacidad intelectual, sino que necesitaba recibir una nueva calidad de vida, la vida eterna, que comienza en este mundo y nos lleva al próximo.

Al regresar a casa de un viaje en cierta ocasión encontré sobre mi escritorio, como de costumbre, un montón de cartas a las que debía contestar. En este montón determinado había dos cartas procedentes de dos hospitales mentales en diferentes estados. Con echar un vistazo a la escritura me di cuenta de que los que habían escrito las cartas necesitaban estar en una institución mental, pero, a pesar de ello, ambos hablaban del Señor Jesús y del consuelo que El era.

No pude evitar pensar en lo cariñoso, comprensivo y compasivo que Dios había sido al preferir revelarse al hombre por medio de una fe sencilla como la de un niño, en lugar del intelecto. De otro modo no habría la menor oportunidad para los pequeñuelos o los retrasados mentales o aquellos que han sufrido daño al cerebro. Del mismo modo el científico brillante, el verdadero intelectual y el genio han de venir por el mismo camino. Como dijo Jesús en Mateo 18:3: "De cierto os digo, que si no os volvéis y os hacéis como niños, no entraréis en el reino de los cielos".

El biblicista inglés John Hunter, relata la historia de un joven que se le acercó después que hubo predicado acerca del capítulo 3 de Juan. "Este joven al igual que Nicodemo, había recibido una esmerada educación y dijo: 'Lo que usted ha estado diciendo me ha hecho pensar; si yo pudiese entender lo que usted ha dicho, me convertiría en un auténtico cristiano'. El joven habló con bastante sinceridad, así que lo interrogué y hablé con él un rato más. Era graduado de una universidad, acostumbrado a pensar y a evaluar los hechos.

"Yo le pregunté: '¿Si pudieses comprender todo el significado del evangelio te harías cristiano?'

" 'Sí', me contestó, 'lo haría'.

" 'Bien, pues piensa en lo siguiente', continué. 'Tengo un amigo que es misionero en el Congo. El trabaja entre los pigmeos, una gente con escaso entendimiento. Si para ser cristianos tuviésemos que comprender el mensaje de evangelio, ¿cómo podría esta gente sencilla recibir bendición?'

"Su respuesta fue muy franca: '¿Sabe una cosa? ¡No se me había ocurrido pensar en eso!'

" 'No', le respondí, 'pero a Dios sí se le ocurrió. El alma que busca no tiene por qué comprender el mensaje, solamente lo ha de recibir con una fe sencilla. Lo que me da la bendición no es comprender por completo el evangelio, sino sencillamente creer y recibirlo'.

"Nicodemo comenzó por 'saber', pero continuó creyendo y recibiendo".[6]

Hoy en día hay muchas personas sentadas en las iglesias que nunca han escuchado este mensaje del nuevo nacimiento. Algunas iglesias predican las buenas obras, el cambio social, el mejoramiento de la legislación, y descuidan la única cosa que podría ayudar a resolver los problemas de nuestro mundo: hombres y mujeres cambiados. El problema básico del hombre es primeramente espiritual y luego social; necesita un cambio drástico de adentro para afuera.

Hace algún tiempo asistí a una conferencia histórica en Africa. Cada uno de los países del continente africano, excepto uno, estaban representados por delegados. Nunca antes hubo semejante reunión de cristianos. Una y otra vez oí a los dirigentes africanos expresar su aprecio por lo que habían hecho las misiones cristianas, especialmente en los campos de la evangelización, de la ayuda médica y la educación. Uno de los oradores dijo: "El 85 por ciento de la educación al sur del Sahara la han realizado las misiones cristianas".

Un obispo anglicano de Inglaterra nos dijo: "En Inglaterra,

cada una de las agencias sociales, desde la Sociedad Protectora de Animales para adelante fue fundada como resultado de una conversión a Cristo y un despertar espiritual". Tenemos que tener cuidado de no tomar el rábano por las hojas.

La Biblia se refiere muchas veces a este cambio del que hablaba Jesús. Dios dijo por medio del profeta Ezequiel: "Os daré corazón nuevo, y pondré espíritu nuevo dentro de vosotros" (Ezequiel 36:26). En el libro de Hechos, Pedro lo llama arrepentirse y convertirse. Pablo se refiere a él en Romanos como "vivos de entre los muertos" (Romanos 6:13). En Colosenses, Pablo lo llama "[despojarse] del viejo hombre con sus hechos, y [revestirse] del nuevo, el cual conforme a la imagen del que lo creó se va renovando hasta el conocimiento pleno" (Colosenses 3:9, 10). En Tito, lo llama "el lavamiento de la regeneración y por la renovación en el Espíritu Santo" (Tito 3:5). Pedro dijo que era ser "participantes de la naturaleza divina" (2 Pedro 1:4). En el catecismo de la Iglesia Anglicana se le llama "la muerte al pecado y un nuevo nacimiento a la justicia".

El contexto de Juan 3 enseña que el nuevo nacimiento es algo que Dios hace por el hombre cuando éste está dispuesto a entregarse a Dios. Hemos visto que la Biblia enseña que el hombre está muerto en delitos y pecados, y su gran necesidad es la vida. No llevamos dentro de nosotros mismos la semilla de la nueva vida; ésta debe venir del mismísimo Dios.

Oswald Chambers, uno de los grandes escritores cristianos de este siglo, dijo: "Nuestra parte como obreros de Dios es abrir los ojos de los hombres para que se vuelvan de las tinieblas a la luz; pero eso no es la salvación, es la conversión; el esfuerzo de un ser humano que ha despertado. Creo que no es mucho decir que la mayoría de los cristianos nominales son así; sus ojos han sido abiertos, pero no han recibido nada. . . Cuando el hombre nace de nuevo, sabe que es porque ha recibido algo como un don del Dios Todopoderoso y no por su propia decisión".[7]

La conversión significa "volverse". La Biblia abunda en este concepto, y Dios ruega al hombre que se vuelva a El. Habló por medio del profeta Ezequiel: "Convertíos. . . y *apartad* vuestro rostro de todas vuestras abominaciones" (Ezequiel

14:6, el énfasis es mío). Otro profeta, Isaías, dijo: "*Volveos* a mí y seréis salvados confines todos de la tierra, porque yo soy Dios, no existe ningún otro" (Isaías 45:22, BJ).

El nuevo nacimiento no consiste en ser reformado, sino en ser transformado. La gente siempre se propone mejorar, cambiar, y luego se olvidan de sus resoluciones al poco tiempo. Pero la Biblia enseña que por medio del nuevo nacimiento podemos entrar en un nuevo mundo.

Los contrastes utilizados en la Biblia para expresar el cambio que se opera en nosotros al nacer de nuevo son muy gráficos: de la lascivia a la santidad; de las tinieblas a la luz; de la muerte a la resurrección; de ser extraños al reino de Dios a ser ahora ciudadanos de él. La Biblia enseña que la persona que ha nacido de nuevo tiene una voluntad cambiada, sus afectos han cambiado, también sus objetivos para la vida han cambiado, así como su disposición, y se ha hecho un nuevo propósito. Recibe una nueva naturaleza y un nuevo corazón. Se convierte en una nueva creación.

Antes y después

La Biblia está llena de personas de todas las esferas de la vida que han cambiado al encontrarse con Jesucristo. Cristo se encontró con una mujer de Samaria que era prostituta y una mujer repudiada en su propia ciudad. Para evitar encontrarse con otras mujeres fue a un pozo en el calor del día sabiendo que no habría de encontrarse entonces con otras personas del pueblo. Pero allí se encontró con Cristo. Inmediatamente fue cambiada en otra persona y hasta se convirtió de inmediato en una misionera y fue rápidamente a su propia ciudad, donde era odiada y donde se burlaban de ella, para hablar a otros acerca de Jesucristo. Y se nos dice: "Y muchos de los samaritanos de aquella ciudad creyeron en él por la palabra de la mujer, que daba testimonio diciendo: Me dijo todo lo que he hecho" (Juan 4:39).

Andrés era un tipo corriente. No parecía ser el hombre de gran personalidad, pero respondió a Cristo rápidamente, y desde ese momento siguió a Jesús con entusiasmo. Lo primero que hizo fue ir a buscar a su hermano para darle las maravillosas noticias acerca del Mesías. Puede que no fuese un gran evangelista, pero dondequiera que aparece en el relato bíblico, tiene fruto.

En estos días de elevados impuestos, los informes anuales o trimestrales de los impuestos no es algo que la gente reciba precisamente con entusiasmo, y en tiempos de Jesús era igual. Zaqueo, un recaudador de impuestos, que no era exactamente de lo más honrado, se dabe mucha maña en defraudar a la gente, pero cuando se encontró con Jesús todo eso cambió. Se arrepintió y quiso hacer restitución de todo lo engañoso que había hecho. "He aquí, Señor, la mitad de mis bienes doy a los pobres; y si en algo he defraudado a alguno, se lo devuelvo cuadruplicado" (Lucas 19:8).

Un joven intelectual llamado Saulo se encontraba viajando por el camino a Damasco en persecución de los cristianos, cuando se encontró con Jesucristo. Hasta el día de hoy hablamos acerca de "experiencias del camino a Damasco", porque Saulo nunca más volvió a ser el mismo. Se convirtió en el gran apóstol Pablo. El se refirió muchas veces a ese encuentro, recordando incluso el día y el momento en que se encontró con Cristo.

El día de Pentecostés tres mil personas que nacieron de nuevo sufrieron un cambio dramático. Por la mañana estaban perdidas, inseguras del propósito de la vida, muchas de ellas sintiéndose culpables por la muerte de Cristo. Otras temían o a las autoridades seculares o a las religiosas, pero al final del día habían nacido al reino de Dios, habiendo pasado cada una de ellas de la muerte a la vida. "De cierto, de cierto os digo: El que oye mi palabra, y cree al que me envió, tiene vida eterna; y no vendrá a condenación, mas ha pasado de muerte a vida" (Juan 5:24).

Toda persona que esté dispuesta a confiar en Jesucristo como su Salvador y Señor personal puede recibir ahora mismo el nuevo nacimiento. No es algo que se recibe a la muerte ni después de ella; es para ahora. "He aquí ahora el tiempo aceptable; he aquí ahora el día de salvación" (2 Corintios 6:2).

El nuevo nacimiento es para ahora

Los anuncios de "antes y después" que se refieren a los remedios y dietas o a la cirugía estética no se pueden ni comparar con el impacto de los testimonios de aquellos que han nacido de nuevo. Desde los presidentes de las corporaciones a los prisioneros en las cárceles, se oyen historias de vidas transformadas.

Una joven nos escribió diciendo: "Hasta enero pasado yo era una extraña para Jesús. Era una rebelde, una ladrona, una borracha, me drogaba, era una adúltera, una hippy y una joven egocéntrica y confundida. Pensando que iba a pisotear a todo el mundo con mis preguntas cínicas, fui a un estudio bíblico hace más o menos un año guiada por la curiosidad. Esa noche me interesé sinceramente en la Biblia y finalmente, después de haber buscado y estudiado las Escrituras durante meses, Juan 3:16 habló a mi corazón y le entregué mi vida a Cristo. Jamás me imaginé que semejante felicidad existiese. Dios enseña cómo amar y lo que se siente al ser amada. El es lo que yo había venido buscando desde los primeros años de mi adolescencia. El era aquello que yo no había encontrado. Viví creyendo que las drogas, el licor, el amor libre y el vagabundear por todo el país me harían libre, pero todo ello eran trampas. El pecado fue la trampa que me llevó a la confusión, a sentirme desgraciada, a sentirme culpable y casi a suicidarme. Cristo me ha hecho libre. El ser cristiana es algo emocionante porque siempre hay un nuevo reto y tantísimo que aprender. Ahora me despierto feliz al ver el día.

"El me ha hecho un ser nuevo".

Johnny Cash dice: "Hace varios años yo estaba entregado a las drogas, y temía despertarme por las mañanas. No sentía gozo, ni paz, ni alegría en mi vida. Pero un día, en mi impotencia, le entregué mi vida por completo a Dios, y ahora no hallo las horas de levantarme por las mañanas para estudiar la Biblia. Algunas veces las palabras de las Escrituras me saltan al corazón. Esto no significa que todos mis problemas han quedado resueltos o que haya alcanzado el estado de la perfección. Sin embargo, mi vida ha cambiado de dirección por entero y yo ¡he nacido de nuevo!"

Capítulo doce
El nuevo nacimiento no es tan sólo un sentimiento

UN HOMBRE, convencido para que fuese a una gran reunión de evangelización, recordó los siguientes sucesos:

"Creo que fue en esa reunión donde por primera vez en mi vida oí, de una manera sencilla y autoritaria, lo que Jesucristo había dicho.

"Al final de su charla el orador invitó a aquellos que querían saber más a que pasasen al frente del auditorio. Yo fui y me presentaron al orador y hablamos un rato. Había otras personas que querían hacer preguntas, de modo que me dirigí a la salida, muy interesado en lo que él había dicho, pero todavía bastante confuso.

"Precisamente cuando me disponía a pasar por la puerta me encontré con un hombre que me miró a los ojos y me dijo:

" '¿Es usted cristiano?'

" 'Extraña pregunta', pensé, ofreciéndole mi mejor sonrisa y diciéndole: 'Claro, creo que sí'.

" '¿Es usted cristiano?' insistió, con los ojos que le brillaban.

" 'Pesado', pensé yo, 'le seguiré la corriente a ver si así me deshago de él'.

"Así que contesté: 'Bueno, al menos lo intento'.

" '¿Ha intentado usted alguna vez ser un elefante?'

"Sonriendo ante mi sorpresa, me agarró por el brazo, me hizo sentar en una silla y me explicó que ningún esfuerzo podría jamás hacer de mí un cristiano (lo mismo que ningún esfuerzo podría convertirme en un elefante). Entonces comenzó a explicarme de qué se trataba el cristianismo del Nuevo Testamento; que Jesucristo había muerto en *mi* lugar y que El había pagado el precio completo que exigían *mis* pecados. Tal y como yo me hallaba, estaba condenado ante un Dios santo y necesitaba un Salvador. Sólo Jesús podía salvarme y en El era posible ser perdonado por mi pasado. Además, en su resurrección me estaba ofreciendo el poder para vivir la clase de vida que hasta ahora yo había creído imposible conseguir.

"¡Qué fantástico ofrecimiento! Si el Dios vivo realmente estaba pidiendo entrar en mi vida, en esta vida mía desgraciada y empañada, haciéndose cargo de lo que yo solamente estaba desperdiciando y estropeando, ¿cómo iba yo a atreverme a negárselo? El prometía: 'He aquí, yo estoy a la puerta y llamo'.

"Yo le abrí la puerta de par en par, y El fue fiel a su palabra".

Este hombre nació de nuevo y su vida cambió por completo. El se consideraba cristiano, pero nunca se había entregado personalmente a Jesucristo.

Jesús todo lo hizo tan fácil y nosotros lo hemos hecho tan complicado. El le hablaba a la gente con frases sencillas y con las palabras de cada día, e ilustraba sus mensajes con parábolas y con historias.

Pablo le dijo al carcelero de Filipos cuando éste le preguntó qué debía hacer para ser salvo: "Cree en el Señor Jesucristo, y serás salvo" (Hechos 16:31).

Esto es tan sencillo que a menudo se pasa por alto. Aunque se oye el mensaje del evangelio, especialmente en América, en las estaciones de radio, presentado por la televisión, cantado en las esquinas de las calles, presentado desde los púlpitos, explicado en libros y en tratados, muchos no le hacen caso. Todo lo que tienes que hacer para nacer de nuevo es arrepentirte de tus pecados y creer en el Señor Jesús como tu Señor y Salvador personal. No tienes que limpiarte, deshacerte de algo o enderezar tu vida, sencillamente puedes venir tal como eres. Por eso cantamos en nuestras cruzadas el himno "Tal como soy".

Palabra clave: el arrepentimiento

Pedro dice en el Nuevo Testamento: "Así que, arrepentíos y *convertíos*, para que sean borrados vuestros pecados; para que vengan de la presencia del Señor tiempos de refrigerio" (Hechos 3:19, el énfasis es mío).

La persona no puede volverse a Dios deseando arrepentirse o creer, sin la ayuda de Dios. Dios es el que ha de hacer que te vuelvas. Muchas veces la Biblia nos dice cómo hombre y mujeres hicieron eso mismo: "Conviérteme, y seré convertido, porque tú eres Jehová mi Dios" (Jeremías 31:18).

Para muchos la palabra "arrepentimiento" resulta anticuada y no parece ocupar un lugar adecuado en el vocabulario del siglo XX. Pero el arrepentimiento es uno de los dos elementos vitales en la conversión y significa sencillamente reconocer lo que somos, y estar dispuestos a cambiar de opinión respecto al pecado, al yo y a Dios.

El arrepentimiento supone para empezar que reconozcamos nuestro pecado. Cuando nos arrepentimos estamos diciendo que reconocemos que somos pecadores y que nuestro pecado nos hace personalmente culpables ante Dios. Esta clase de culpabilidad no significa recriminarnos con desprecio; significa vernos como nos ve Dios, y poder decir: "Dios, sé propicio a mí, pecador" (Lucas 18:13). Lo que reconocemos no es sencillamente la culpa corporativa de la sociedad, porque resulta tan fácil echarle la culpa al gobierno, al sistema de la enseñanza, a la iglesia, al hogar, en lugar de culparnos a nosotros mismos. La Biblia enseña que cuando alcanzamos la edad de la responsabilidad, normalmente alrededor de los diez o los once años, Dios nos ve como adultos que adoptan sus decisiones morales o espirituales, por las que seremos responsables en el juicio. Cada uno de nosotros es culpable, de una manera individual, ante Dios. Desde el momento en que somos concebidos tenemos la tendencia al pecado; luego caemos en el pecado porque así lo queremos y, finalmente, somos pecadores por costumbre. Por esto la Biblia dice que todos hemos pecado y estamos destituidos de la gloria de Dios.

Toda persona del mundo, sea cual fuere su raza, su color, su lengua o su cultura necesita nacer de nuevo. Somos culpables de "pecado" (singular) que se expresa en "pecados" (plural). Transgredimos las leyes de Dios y nos rebelamos contra El porque somos pecadores por naturaleza. Fue de esta enfermedad del pecado (singular) de la que se ocupó Cristo cuando fue a la cruz.

Hemos oído hablar tanto acerca de las "raíces". Las raíces de los problemas individuales y corporativos del hombre están profundamente arraigados en su propio corazón. Somos una raza enferma. Esta enfermedad solamente la puede curar la sangre de Cristo, así como en el Antiguo Testamento la sangre era derramada sobre cientos de altares, esperando el día en que Jesucristo había de venir para ser "el Cordero de Dios que quita el pecado del mundo" (Juan 1:29). El se convirtió en la víctima propiciatoria cósmica para todo el mundo. Todos nuestros pecados fueron depositados en El, y por esto Dios puede perdonarnos. Por esto es que nos puede infundir nueva vida, que se llama regeneración o el nuevo nacimiento.

Cuando consideramos los atributos de Dios y nos damos cuenta de lo lejos que nos hallamos de su perfección, no nos queda más remedio que reconocer nuestra naturaleza pecaminosa. El apóstol Pedro había tomado parte en hechos pecaminosos y había albergado pensamientos pecaminosos, pero mucho más que reconocer que había hecho mal física o mentalmente, Pedro se dio cuenta de que su naturaleza estaba torcida. Dijo: "Apártate de mí, Señor, porque soy hombre pecador" (Lucas 5:8). Nótese que no dijo: "yo peco", sino "soy hombre pecador".

Job vio lo depravado que era en comparación con la perfección de Dios y dijo: "De oídas te había oído; mas ahora mis ojos te ven. Por tanto me aborrezco, y me arrepiento en polvo y ceniza" (Job 42:5, 6). Job se comparó con Dios y se arrepintió; reconoció lo que era delante de Dios.

Para arrepentirse es necesario sentir verdadero *dolor* por el pecado. El dolor es una emoción, y nosotros somos criaturas que variamos grandemente en la cantidad de sufrimiento que podemos experimentar. Sin embargo, el arrepentimiento sin contrición es en vano. El apóstol Pablo dijo: "Ahora me gozo, no porque hayáis sido contristados, sino porque fuisteis contristados para arrepentimiento; porque habéis sido contristados según Dios, para que ninguna pérdida padecieseis por nuestra parte" (2 Corintios 7:9).

Con el arrepentimiento viene un cambio de propósito, y el deseo voluntario de apartarse del pecado. Si tuviésemos que arrepentirnos sin la ayuda de Dios, estaríamos casi imposibilitados. Las Escrituras enseñan que estamos muertos en delitos y pecados y un hombre muerto no puede hacer nada, por lo tanto necesitamos la ayuda de Dios incluso para arrepentirnos. Algunas veces esto significa "restituir". Si hemos robado, si hemos mentido, o engañado o hemos hecho daño a alguien, debemos, si es posible, remediar el mal.

He recibido cientos de cartas de personas que me decían que se les había devuelto dinero robado por personas que afirmaban haber "nacido de nuevo". Hay gente que antes de convertirse se dedicaba a robar por las tiendas. Muchos han sentido que debían volver a la tienda, discutir lo que habían hecho mal con el gerente, y restituir lo robado.

Cuando mi esposa estaba aconsejando a José Medina, después de que fue tentado a ayudar a su amigo a asaltar una gasolinera, ella le dijo que su arrepentimiento nunca sería auténtico a menos de que confesase su crimen, cosa que él hizo. Ese verano se ganó el dinero y lo devolvió íntegro, y el dueño de la gasolinera lo perdonó. En la actualidad ese joven ha terminado cuatro años de estudios en un instituto bíblico, y ahora es pastor.

Cuando Jim Vaus, el personaje del hampa, vino a Cristo en 1949, pasó muchas semañas visitando a personas a las que había ofendido, a las que había herido o de las que había robado. Devolvió todo cuanto le fue posible y pidió perdón a todos aquellos que había ofendido.

En nuestros días es raro esta clase de restitución, pero las Escrituras lo enseñan así con toda claridad; es algo que ayuda a completar nuestro arrepentimiento. Muestra a aquellas personas que hemos ofendido, y al mundo entero, que nuestra relación con Dios va en serio.

Cuando nuestras emociones son contrarias a nuestro deseo de abandonar el pecado, la hipocresía entra en la vida del creyente y comienzan a aumentar las dudas. Hay tantísimas cosas en la Biblia que parecen tan difíciles de ceer. Cuando nos convertimos en nuevas criaturas en Cristo, nos lanzamos en una experiencia emocionante y gozosa que nos hace andar en las nubes durante un tiempo. Luego pueden surgir las dudas en nuestra vida, primero de manera solapada, pero después más abierta al comenzar las interrogantes a ahogar la confianza. "¿Cómo puedo yo estar dispuesto a entregarle mi vida a Dios cuando puede que El me haga hacer algo que no quiero hacer?"

Cuando una mujer muy rica y hermosa que era una de las principales figuras de su comunidad se convirtió, una de las primeras personas a las que se lo contó, una amiga de muchos años, le dijo: "Bueno, Dorothy, ¿qué vas a hacer ahora? ¿Vas a ir de misionera al Africa?"

Dorothy luchó con sus emociones, pero contestó con esa voluntad que había entregado: "Si es allá donde Dios quiere que vaya, iré".

Pero para la mayoría no resulta así de sencillo ni están dispuestos a permitir que Dios les muestre lo que hacer y en qué dirección deben ir.

Una maravillosa mujer de edad que escribió uno de los libros cristianos ya clásicos, relató una historia acerca de un joven de gran inteligencia que pasaba por tremendas dificultades en su nueva experiencia cristiana con la cuestión de la voluntad. Era un hombre que siempre dudaba y desde el punto de vista emocional nada le parecía real, pero alguien le dio este consejo: " 'La voluntad del hombre es realmente su yo; . . . lo que hace su voluntad, hace él. Por lo tanto tu parte consiste en poner tu voluntad. . . del lado de Dios, proponiéndote creer lo que El dice [en la Biblia], porque El lo dice, y que no vas a hacer el menor caso a los sentimientos que lo hacen parecer tan poco real. Dios no dejará de responder, con su revelación, tarde o temprano, a semejante fe'.

"El joven hizo una pausa por un momento, y luego dijo solemnemente: 'Entiendo, y voy a hacer lo que usted me dice. No puedo controlar mis emociones, pero sí puedo controlar mi voluntad; y la nueva vida comienza a parecerme posible, si todo lo que debo ordenar es mi voluntad. Puedo entregarle mi voluntad a Dios, y así lo hago' ".[1]

El arrepentimiento bíblico es el combustible que se utiliza para poner en marcha nuestra vida con Dios en los controles. Hasta que utilicemos ese combustible, nos encontraremos que no podemos despegar, porque estamos pegados a la tierra por nuestro ego, por nuestro orgullo, por nuestros problemas y por nuestra culpabilidad. La gente joven a menudo se siente encadenada en una cárcel que hace que su vida no tenga propósito, que se sienta insegura e incluso culpable. Muchas personas mayores miran a la vejez y a la muerte con temor y temblor. El verdadero arrepentimiento puede librarnos de esas cadenas.

Por lo tanto, el arrepentimiento es *primero* y absolutamente indispensable si hemos de nacer de nuevo. Requiere que reconozcamos de manera sencilla lo que somos delante de Dios: pecadores que estamos destituidos de su gloria; en *segundo* lugar, hemos de sentirnos verdaderamente entristecidos por el pecado; y en *tercer* lugar, significa que hemos de estar dispuestos a apartarnos del pecado.

Palabra clave: la fe

Al considerar la conversión hemos visto que existe un lado de "vuelta de" que se llama arrepentimiento. También existe un punto de "vuelta hacia" llamado fe.

Esa fe es primeramente creer, creer que Cristo es el que dijo ser. En segundo lugar, la fe es creer que El puede hacer lo que dijo que podía hacer; El puede perdonarme, y entrar en mi vida. En tercer lugar, la fe es confianza, un acto de entrega, en el cual abrimos la puerta de nuestro corazón a El. En el Nuevo Testamento las palabras "fe", "creencia" y "creer" son traducciones de palabras similares en griego, así que pueden intercambiarse.

El depositar tu fe en Cristo significa que primero debes hacer una elección. Las Escrituras dicen: "El que en él [Jesús] cree, no es condenado; pero el que no cree, ya ha sido condenado, porque no ha creído en el nombre del unigénito Hijo de Dios" (Juan 3:18). La persona que cree no es condenada; la que no cree sí es condenada. A fin de que no seas condenado debes hacer una elección: debes optar por creer.

Vemos, por lo tanto, que el creer es muy importante. La Biblia dice que sin fe es imposible agradar a Dios; pero ¿qué significa creer? Significa "entregarte" a Cristo, "rendirte" a El. El creer es tu respuesta al ofrecimiento de Dios, que es misericordia, amor y perdón. Dios tomó la iniciativa e hizo todo cuanto era necesario para hacer posible la salvación. Cuando Cristo inclinó la cabeza sobre la cruz y dijo: "Consumado es", quiso decir exactamente eso (Juan 19:30). El plan de Dios para nuestra reconciliación y redención estaba completo en su Hijo; pero sólo podrás ser salvo si crees en Jesús, entregándote y rindiéndote a El.

El creer no es sólo un sentimiento; es la seguridad de la salvación. Puedes mirarte en el espejo y decir: "Pero yo no me siento salvo, no me siento perdonado"; pero no dependas de tus sentimientos para tu seguridad. Cristo ha prometido, y El no puede mentir. El creer es un hecho deliberado mediante el cual la persona se entrega a Jesucristo. No es un "agarrarse" a alguna idea vaga; es un acto de confianza en el Dios-Hombre, Jesucristo.

El Nuevo Testamento no utilizó nunca las palabras "creencia" y "fe" en el plural. La fe cristiana no significa aceptar una larga lista de lo que podemos hacer y de lo que no podemos hacer. Significa una auténtica e individual entrega de la mente y del corazón hacia la única persona, Jesucristo. No significa creer en todo o en cualquier cosa; es una creencia en una persona y esa persona es el Cristo descrito en las Escrituras.

La fe no es algo antiintelectual, sino que es algo que sigue una premisa muy lógica, esto es, el confiar en que la habilidad superior de Dios es capaz de salvarnos.

Francis Schaeffer, un brillante cristiano que vive en Suiza, explica que la fe no es solamente lógica, sino que la falta de fe es lo ilógico. Escribe: "El hombre está hecho a la imagen de Dios; por lo tanto, partiendo de la base de que Dios es un Dios personal, el abismo está, no entre Dios y el hombre, sino entre el hombre y todo lo demás. Pero mirado desde el plano de la infinidad de Dios el hombre está tan separado de Dios como lo está del átomo o cualquier otro objeto limitado del universo. Así que sabemos por qué el hombre es finito y a la vez personal.

"No se trata de que ésta sea la mejor solución al enigma de la existencia; es que es la *única* solución. He aquí por qué debemos mantener nuestra cristiandad con integridad intelectual. La única explicación de lo que existe es que El, el Dios infinito-personal, está realmente presente".[2]

La fe en Cristo es también voluntaria. No se puede obligar, sobornar o engañar a la persona para que confíe en Jesús. Dios no entrará por la fuerza en tu vida. El Espíritu Santo hará todo lo posible por inquietarte, por atraerte y por amarte, pero a la postre es tu decisión personal. Dios no solamente dio a su Hijo en la cruz, donde se consumó el plan de la redención; dio la ley, según está expresada en los Diez Mandamientos y en el Sermón del Monte para mostrarte tu necesidad del perdón; dio al Espíritu Santo para asegurarte de tu necesidad. Te da el Espíritu Santo para atraerte a la cruz, pero aún después de todo esto, te toca a ti decidir si vas a aceptar el perdón gratuito de Dios o si vas a continuar en tu condición perdida.

La fe abarca también a toda la persona. En su libro *Knowing God*, J. I. Packer dice: "El conocer a Dios es asunto de una participación *personal* con la mente, la voluntad y el sentimiento. De otro modo no sería una relación enteramente personal".[3]

De modo que la fe no es sencillamente una reacción emocional, una realización intelectual o una decisión de la voluntad; la fe es global. Abarca el intelecto, la emoción y la voluntad.

Pasos que llevan a la conversión

Hemos visto que la conversión acontece cuando nos arrepentimos y depositamos nuestra fe en Cristo; pero ¿cómo es el proceso al llegar al punto de la conversión? ¿Cuánto tardará? ¿Será emocional o dramático? Mi respuesta es que no lo sé. Si todo el mundo tuviese la misma reacción podríamos aplicar una pequeña fórmula química con resultados predeterminados, pero la palabra clave aquí es la *variedad.*

Si nos detenemos un momento a reflexionar en Dios veremos esto con claridad. Primero, el punto al que nos dirigimos es uno en el que el propio Dios va a hacer algo; El es el que nos convierte cuando nos arrepentimos y creemos en Cristo. "La salvación es de Jehová". En segundo lugar, comienza a ayudarnos mucho antes de que lleguemos a ese punto. Como ya hemos visto, durante el tiempo anterior a la conversión El nos está preparando para el arrepentimiento por la convicción del Espíritu Santo y haciendo que deseemos apartarnos del pecado. Al mismo tiempo nos está preparando para la fe, mostrándonos lo perdonador y majestuoso que es Cristo.

Por lo tanto, las preguntas acerca del tiempo y la emoción en el proceso de la conversión, son muy personales. Dios nos ve a cada uno de manera diferente, porque cada uno de nosotros lo somos. El se relaciona contigo tal como eres, y El se relaciona conmigo tal como soy. Desde luego, en Su amor, la meta para cada uno de nosotros será la misma: nuestro nuevo nacimiento. Pero para ayudarnos a llegar a ese punto El será tan personal como el pastor que conoce a cada una de sus ovejas por su nombre.

Podríamos referirnos a las experiencias de aquellas personas que conocemos o a tu propia experiencia. Si tú no has nacido de nuevo, el mero hecho de que estés leyendo este libro ahora mismo puede ser el método que Dios esté utilizando en tu vida para llevarte a una decisión.

Dios conoce las necesidades de tu corazón. Cuando examinamos el método que utilizó con diferentes personas de la Biblia antes de su conversión, nos damos cuenta de que El entiende su individualidad. En Juan 1, por ejemplo, habló con varios hombres que todavía no se habían convertido. Cuando Andrés y un amigo se le acercaron, Jesús hizo una preguntá: "¿Qué buscáis?" (Juan 1:38), y después los invitó a que pasasen el día con El donde El estaba. Una conversación tranquila era lo que necesitaba Andrés si había de darse cuenta de su pecado y confiar en Jesús.

Andrés trajo consigo a su voluble hermano Simón. Cristo actuó de modo muy diferente con él. Contemplándolo seriamente, Jesús le dijo: "Tú eres Simón, hijo de Jonás; tú serás llamado Cefas (que quiere decir, Pedro)", palabra que significa roca. Jesús reveló un destello de su majestad al decir a este veleidoso joven que al confiar en El su carácter se volvería firme como la roca (Juan 1:42). Para convertirse era necesario que Pedro viese que su pecado consistía en confiar en sí mismo, lo cual lo hacía tan cambiadizo, y que necesitaba confiar en Cristo como el que tenía el poder y el interés para cambiarlo.

Al día siguiente Jesús halló a Felipe y lo trató de un modo diferente aún, diciéndole sencillamente: "Sígueme" (Juan 1:43). A diferencia de Andrés o de Pedro, Felipe necesitaba una orden directa. Entonces Felipe trajo a Natanael, hombre muy piadoso que buscaba una experiencia con Dios. Jesús se adaptó a su especial necesidad en Juan 1:51 al decir: "De cierto, de cierto os digo: De aquí adelante veréis el cielo abierto, y los ángeles de Dios que suben y descienden sobre el Hijo del Hombre".

Andrés, Pedro, Felipe y Natanael eran diferentes, así que Jesús trató a cada uno de modo distinto. Todos ellos necesitaban una relación personal con Cristo y esto es esencialmente lo que es el nuevo nacimiento. Algunos de ellos tardaron mucho en darse cuenta de lo que estaba sucediendo, llevándoles meses de adiestramiento bajo el propio Jesús. Por esto ruego a los nuevos convertidos que dediquen mucho tiempo al estudio de la Biblia y a la oración antes de subirse a una plataforma a dar testimonio público. Las Escrituras nos previenen contra los "neófitos". Nosotros mismos hemos sido culpables de esto sin querer en nuestras cruzadas: hacer que saliesen a dar testimonio convertidos recientes que en realidad no habían crecido lo suficiente en la gracia y en el conocimiento de Cristo. Después de muchos años de experiencia nos andamos con más cuidado.

Después de su conversión, el apóstol Pablo dedicó tres años al estudio en Arabia. Dios tardó cuarenta años en preparar a Moisés en lo más remoto de un desierto, antes de que apareciese en público. En estos días oímos con frecuencia acerca de una persona que un día se encuentra en la cárcel, y a las pocas semanas se halla en una plataforma pública testificando acerca de su conversión ante una gran multitud. Algunas veces a esto le sigue una gran tragedia: el así llamado recién convertido no había realmente nacido de nuevo; sólo había profesado a Cristo, pero no había estado dispuesto a pagar el precio de seguir a Cristo.

Conozco a un joven que parecía gloriosamente convertido durante una de nuestras cruzadas, y creo que lo fue. Debo decir que tuvo que pasar por un largo período antes de poder librarse de su adición a las drogas, y fue creciendo en su conocimiento de las Escrituras. Lo animamos a que asistiese a un instituto bíblico, cosa que hizo durante un año. Su testimonio era tan emocionante que comenzó a recibir invitaciones de todos los Estados Unidos pidiéndole que diese su testimonio. No pasó mucho tiempo antes de que toda esta atención lo hiciese enfriarse terriblemente en la fe, hasta el punto de abandonar incluso a su esposa y a su familia. Me alegra poder decir que se ha restablecido en su comunión con Dios, se ha dado cuenta de sus pecados y errores, y ahora ha regresado para terminar sus estudios.

¿Cómo debemos esperar que sea el proceso que nos acerca al nuevo nacimiento? Este se adaptará a nuestro propio medio ambiente, a nuestro temperamento, a nuestras necesidades secretas y a nuestras esperanzas. Así es como Dios obra.

¿Cuánto tiempo duran los pasos?

La cantidad de tiempo y el grado de emoción del proceso que conduce a nuestra conversión también varía. Algunos, pero no todos, pasarán por una crisis emocional, con síntomas similares a los que acompañan al conflicto mental. Podrán experimentar emociones profundas e incluso derramar lágrimas de arrepentimiento, ya que el Espíritu Santo les está mostrando su pecado. Este es su modo de responder a El. Cada uno de nosotros podrá pasar por una experiencia emocional diferente. La noche que yo acudí a Cristo había a mi alrededor varias personas que lloraban; no derramé lágrima alguna y me preguntaba si mi acto de entrega era auténtico.

Desde entonces he aprendido que muchos han tenido una conversión más tranquila, con un tiempo más corto en el proceso. Tal vez una persona, al leer las Escrituras o al cantar un himno, se encuentra con una afirmación sencilla y se la aplica a sí misma en ese mismo momento y lugar. Otra persona oye un sermón y sin ninguna lucha emocional ni conflicto recibe su mensaje y cree en Cristo. La conversión no resulta menos real para estas personas tranquilas que para aquellas otras más expresivas o dramáticas.

En Hechos 16 encontramos dos conversiones que son polos opuestos. Lidia era una mujer de negocios en la ciudad de Filipos. Ella había mostrado suficiente interés en Dios como para dedicar más tiempo y oraba junto al río, cuando oyó a Pablo predicar. El Señor abrió su corazón para que respondiese al mensaje del evangelio y ella se convirtió sin grandes emociones ni arrebatos.

Había también el carcelero en la ciudad de Filipos, donde Pablo estaba encarcelado. Hubo un terremoto y al carcelero le entró el pánico al darse cuenta de que los prisioneros podían escaparse. Pensó que la única manera de salir de la crisis era quitarse la vida, pero cuando se disponía a sacar su espada, oyó al apóstol Pablo decir: "No te hagas ningún mal, pues todos estamos aquí" (Hechos 16:28).

¡El carcelero no podía creer lo que oía! ¿Por qué no se habían fugado los prisioneros? El carcelero temblaba de pies a cabeza y pidió una luz. Les echó una mirada a Pablo y a Silas, sus prisioneros, y cayó de rodillas a sus pies, clamando: "¿Qué debo hacer para ser salvo?" Pablo le dijo que creyese en el Señor Jesucristo y sería salvo, y el carcelero se convirtió allí mismo, en los escombros de la prisión.

Jesús describió la experiencia de la conversión como el movimiento del viento. "El viento sopla de donde quiere, y oyes su sonido; mas ni sabes de dónde viene ni a dónde va;

así es todo aquel que es nacido del Espíritu" (Juan 3:8).

El viento puede ser tranquilo, apacible o puede alcanzar las proporciones del ciclón. Lo mismo sucede con la conversión, algunas veces es sencilla y tierna, y otras veces como un tornado que cambia todo el paisaje.

¿Hay un momento determinado en el tiempo, una hora de cierto día de un año cuando la persona pueda decir: "Fue entonces cuando nací de nuevo"? Conozco a muchas personas que pueden indicar esa ocasión con toda exactitud: "Ese fue mi cumpleaños espiritual". Sin embargo, sé que hay personas que en la actualidad caminan en comunión con Jesucristo, pero no se acuerdan del momento exacto en que se entregaron deliberadamente a El y no se acuerdan de cuándo no lo amaron ni confiaron en El. Mi esposa es una de esas grandes cristianas que forman parte de esa categoría. Sin embargo, en mi opinión son más bien la excepción que la regla. Las Escrituras enseñan que el creer es un acto de la voluntad, así que tanto si se acuerdan del momento como si no, hubo un momento en que cruzaron la línea entre la muerte y la vida.

Sin embargo, lo importante para la persona no es tanto el "cuándo", sino el "si lo hicieron". Cuándo fuimos salvos no tiene tanta importancia como el que seamos salvos. Con frecuencia no podemos precisar el momento en que la noche se hace día, pero sabemos cuando brilla la luz del día. Así que la gran pregunta que debe contestar la persona que nunca se ha entregado a Cristo por un acto consciente de la voluntad es: "¿Vives tú ahora en el día, en contacto con Cristo?"

Cómo recibir a Cristo

Poco después de que yo recibiese a Cristo alguien me dio un pequeño tratado intitulado: "Cuatro cosas que Dios quiere que sepas", por un escritor inglés. Utilicé con frecuencia esos cuatro puntos en mis primeras predicaciones, y eran excelentes. Años después, Bill Bright, de la Cruzada Estudiantil para Cristo, ideó "Las cuatro leyes espirituales" que han sido extensamente utilizadas por todo el mundo para ayudar a la gente comprenderá cómo nacer de nuevo. Nuestra propia organización ideó lo que hemos llamado "Cuatro pasos para tener paz con Dios", sacado, en gran parte, de mi libro *Paz con Dios*. Yo no creo, sin embargo, que exista una bonita fórmula o una receta que lleve el sello de aprobación del Buen Hogar. No obstante, sí creo que éstas han dado algunas ideas que han sido de ayuda a las personas para que comprendiesen cómo recibir a Cristo.

He aquí algunas normas de la Biblia que te ayudarán a aceptar a Cristo como tu Señor y Salvador. Tú has visto la necesidad, la dirección y los pasos en los capítulos anteriores, y puede que ya hayas llegado a tus propias conclusiones. Pero con todo eso, permíteme hacer un resumen de lo que debes hacer.

Primero, debes reconocer lo que hizo Dios: que te amó tanto que dio a su Hijo para que muriese en la cruz. Reemplaza tu propio nombre por "el mundo" y "todo aquel" en este conocido versículo: "Porque de tal manera amó Dios al mundo, que ha dado a su Hijo unigénito, para que todo aquel que en él cree, no se pierda, mas tenga vida eterna" (Juan 3:16). "El Hijo de Dios. . . me amó y se entregó a sí mismo por mí" (Gálatas 2:20).

Segundo, debes arrepentirte de tus pecados. Jesús dijo: "Si no os arrepentís. . . pereceréis" (Lucas 13:3). Y también: "Arrepentíos y creed" (Marcos 1:15). No basta con sentirlo; el arrepentimiento es aquel cambió de rumbo que se viene destacando.

Tercero, debes recibir a Jesucristo como Salvador y Señor. "Mas a todos los que le recibieron, a los que creen en su nombre, les dio potestad de ser hechos hijos de Dios" (Juan 1:12). Esto significa que dejas de intentar salvarte por ti mismo y aceptas a Cristo como único Señor y único Salvador. Confía en El por completo, sin la más mínima reserva.

Cuarto, debes confesar a Cristo públicamente. Esta confesión es señal de que te has convertido. Jesús dijo: "A cualquiera, pues, que me confiese delante de los hombres, yo también le confesaré delante de mi Padre que está en los cielos" (Mateo 10:32). Es de suma importancia que cuando recibas a Cristo se lo cuentes a otra persona tan pronto como sea posible. Esto te dará fortaleza y valor para testificar.

Haz que suceda *ahora*. "He aquí ahora el tiempo aceptable. . . ahora el día de salvación" (2 Corintios 6:2). Si estás dispuesto a arrepentirte de tus pecados y a recibir a Jesucristo como tu Señor y Salvador, puedes hacerlo ahora mismo. En este momento puedes inclinar la cabeza, o ponerte de rodillas y repetir esta pequeña oración que he utilizado con millares de personas en todos los continentes:

Oh Dios, reconozco que he pecado contra ti. Lamento mis pecados. Estoy dispuesto a apartarme de ellos. Recibo y reconozco francamente a Jesucristo como mi Salvador. Lo confieso como mi Señor. Desde este momento quiero vivir para El y servirle. En el nombre de Jesús. Amén.

Estos son los pasos y la oración que aparecieron hace muchos años en un libro que escribí, y los leyeron personas como ustedes que respondieron y me escribieron contándome acerca de sus vidas transformadas.

Si estás dispuesto a tomar esta decisión y has recibido a Jesucristo como tu propio Señor y Salvador, entonces te has convertido en un hijo de Dios en quien mora Jesucristo. No tienes por qué medir la certeza de tu salvación guiándote por tus sentimientos. Cree en Dios; El cumple Su palabra. Has nacido de nuevo y ¡estás vivo!

(Si deseas más ayuda y literatura, por favor escríbeme con toda libertad:

Billy Graham
Minneapolis, Minnesota, E E.U U.

Esa es toda la dirección que precisas.)

Capítulo trece
Vivo y en crecimiento

"DESPUES DE PENSARLO durante tres días, me di cuenta que necesitaba a Jesucristo y lo acepté. Ahora que le he entregado mi vida a Jesucristo, puedo funcionar con un poder extraordinario que Dios me concede".

¿Quién hizo una afirmación como esa? ¿Fue una persona que se encontraba en la situación más angustiosa de la vida, esforzándose por defender su valor y su identidad? No. Fue John Naber, joven y guapo atleta de la universidad de California del Sur, que atrajo hacia sí la atención internacional al ganar cuatro medallas de oro en natación en los Juegos Olímpicos de 1976. John Naber dijo que buscaba algo que tuviese significado en su vida y después de haber asistido a una de nuestras reuniones comenzó a despertar a la realización de Jesucristo. Nació de nuevo.

Más y más celebridades, particularmente del mundo de los deportes, del espectáculo y de la política, relatan sus nuevas experiencias de vivificación en Cristo. Si bien resulta conmovedor enterarse de ello, también existen ciertos peligros (como ya he explicado) en un "neófito" que tiene muy poco conocimiento de la Palabra de Dios. Sin embargo, no puedo evitar gozarme por cada uno de ellos, y creo que Dios se ha estado moviendo de manera poderosa para tocar a personas con dones y talentos extraordinarios por todo el mundo. A muchos de ellos los está utilizando de una manera fantástica para traer a otros a Cristo. Un artículo en un periódico decía que "la evidencia de un actual despertar religioso está por todo lugar", y luego relataba cómo personalidades famosas estaban "hablando del momento exacto en que se operó el cambio" con sus "frecuentemente increíbles relatos de haber nacido de nuevo. Algunos de ellos dicen que han encontrado a Jesucristo, otros experimentan una sensación similar a una descarga eléctrica. En todos los casos los nuevos creyentes experimentaban irresistibles sentimientos de amor y de gozo".

Dean Jones, un veterano de las películas de Walt Disney, dice: "Yo estaba actuando con el repertorio de verano en una hostería en Nueva Jersey y me había ido a mi habitación a fin de poder estar solo. Nada me satisfacía. Miré por la ventana y sentí temor y confusión. Impulsivamente, me arrodillé junto a la cama y le hablé a Dios acerca de mis dudas; no sé lo que me movió a hacer esto. Le dije a Dios: 'Si das significado a mi vida, yo te serviré' ".

No hay nada tan emocionante como un testimonio personal procedente de una persona que ha experimentado un resurgimiento espiritual. Esto es algo más que una historia interesante o una experiencia fascinante. El hombre o la mujer que ha nacido de nuevo recibe tantas riquezas de Dios. Vamos a resumirlas y hablar de ellas para mostrar cómo sacar partido de ese enorme potencial.

El perdón

"Vuestros pecados os han sido perdonados por su nombre" (1 Juan 2:12). ¡Que promesa tan estupenda! A lo largo del Nuevo Testamento aprendemos que la persona que recibe a Cristo como Señor y Salvador también recibe, de inmediato, la dádiva del perdón. La Biblia dice: "Cuanto está lejos el oriente del occidente, hizo alejar de nosotros nuestras rebeliones" (Salmo 103:12).

Cuantas veces utilizamos frases como: "perdóname", "lo siento", "lo hice sin querer"; palabras que resuenan vacías. Pero el perdón de Dios no es una aseveración hecha a la ligera; es borrar toda la inmundicia y la degradación de nuestro pasado, de nuestro presente y de nuestro futuro. La única razón por que nuestros pecados pueden ser perdonados es que Jesucristo pagó en la cruz toda la penalidad que correspondía.

Los sentimientos de culpabilidad han sido la base de muchas obras teatrales. Las líneas de Shakespeare, en su Macbeth, son famosas: " ¡Bórrate, maldita mancha! ¡Fuera!" Los sentimientos de culpabilidad son el punto central de una gran parte del tratamiento siquiátrico. Muchos se sienten como Judas, que después de delatar a Cristo, dijo: "He pecado entregando sangre inocente". El peso de nuestra culpa es tan tremendo que el grande y glorioso concepto del perdón debiera ser publicado por todos los que creen en Jesucristo.

La bondad de Dios al perdonarnos va aún más lejos cuando nos damos cuenta de que cuando nos convertimos también somos declarados justos; lo cual significa que a los ojos de Dios somos libres de culpa, vestidos para siempre de la justicia de Cristo.

Como vimos en "La corte del Rey" el perdón y la justificación son dones gratuitos de Dios.

Adopción por el Rey

Cuando te convertiste, Dios te adoptó por hijo o hija. Como hijos adoptivos cada uno de nosotros puede afirmar ser coherederos con Jesucristo. "Dios envió a su hijo. . . para que redimiese a los que estaban bajo la ley, a fin de que recibiésemos la adopción de hijos" (Gálatas 4:4, 5).

Conozco a un abogado y a su esposa que tienen dos hijos adoptivos, un niño y una niña. La niña se parece mucho a su madre y el jovencito podría fácilmente pasar por el hijo natural de su padre. El hecho de que fuesen escogidos por sus padres les ha dado un gran sentido de seguridad y amor.

El ser hijo o hija del Señor del universo es algo maravilloso.

El Espíritu Santo que mora en nosotros

Cuando te convertiste, de inmediato el Espíritu Santo comenzó a morar en ti. Antes de ascender al cielo, Jesucristo dijo: "Y yo rogaré al Padre, y os dará otro Consolador, para que esté con vosotros para siempre: el Espíritu de verdad. . . pero vosotros le conocéis, porque mora con vosotros, y estará con vosotros" (Juan 14:16, 17).

Cuando Cristo vivió en esta tierra, sólo pudo estar con un pequeño grupo de personas a la vez. Ahora Cristo vive, por medio del Espíritu Santo, en los corazones de todos aquellos que lo han recibido como Señor y Salvador. Lloyd Ogilvie, pastor de la Primera Iglesia Presbiteriana de Hollywood, California, se refiere al Espíritu Santo como "el Cristo contemporáneo". Pablo escribió a los Romanos: "[Dios] vivificará también vuestros cuerpos mortales por su Espíritu que mora en vosotros" (Romanos 8:11).

Durante el histórico Congreso para la Evangelización Mundial, celebrado en Suiza en 1974, el Espíritu Santo fue tema de muchos discursos y discusiones. El reverendo Gottfried Osei-Mensah, de Nairobi, Kenya, dijo: "El Espíritu es nuestro Maestro. La obra del Espíritu Santo, que mora en nosotros, nos libra de la ley del pecado en nuestras vidas diarias, y nos ayuda a vivir la nueva vida que compartimos con Cristo".

¿Cuánto tiempo mora el Espíritu Santo en el corazón del creyente? Para siempre. Dios no nos da un don tan poderoso como el Espíritu Santo para quitárnoslo después. Aceptamos, por medio de la fe, lo que dijo Dios referente al hecho de que el Espíritu de Dios mora en nosotros, pero también podemos verlo obrar. El Espíritu Santo puede rejuvenecer a un cristiano cansado, cautivar a un creyente indiferente, y dar poder a una iglesia seca.

Un pastor de Buenos Aires, Argentina, dijo: "Hoy en día el Espíritu Santo está renovando el fruto del Espíritu: amor, gozo y paz. Todas estas cosas son los elementos que muestran al mundo que nosotros somos Su pueblo".

El Espíritu Santo está allí para dotarte de poder especial para trabajar por Cristo. Para darte fuerza en el momento de la tentación.

Jesús prometió que recibiríamos poder del Espíritu Santo (Hechos 1:8). Tal vez hayas escuchado la historia del pájaro carpintero que estaba picando con el pico contra el tronco de un árbol. En ese mismo momento, cayó un rayo sobre el árbol, rajándolo desde arriba para abajo. Cuando se hubo recuperado del susto, el pájaro carpintero se fue volando y diciendo: " ¡No sabía que tuviese tanta fuerza en el pico!" No te pregunto si tú tienes al Espíritu Santo, pero si El te tiene a ti.

Victoria sobre la tentación

La Biblia enseña que el nuevo creyente en Jesucristo, la persona convertida, ha de "aborrecer lo malo" (Romanos 12:9). He aquí otra poderosa advertencia: "En cuanto a la pasada manera de vivir, despojaos del viejo hombre, que está viciado conforme a los deseos engañosos" (Efesios 4:22).

Pero ¡un momento! ¿Cómo se supone que dejemos de hacer algunas de las cosas pecaminosas que hemos venido haciendo durante años, o librarnos de algunas de las actitudes negativas, de sospecha, de odio o de avaricia que están fijas en nuestra personalidad? Puede que digas: "Yo solo no puedo hacerlo".

Tienes razón. Sin embargo, la capacidad para resistir al pecado y obedecer a Dios procede del Espíritu Santo, que habita en el interior de todo verdadero creyente. No nos toca a nosotros luchar solos contra la tentación; Dios vive en nuestro corazón para ayudarnos a resistir al pecado. Su tarea es obrar, y la nuestra es rendirnos a El.

¿Qué sucede con el antiguo espantajo de la tentación? La Biblia no dice que no seremos tentados; eso sería ridículo. Sabemos que vivimos en un mundo lleno de tentaciones, la mayoría de ellas desfrazadas de atractivos, en la mayoría de los casos como algo que debemos probar o comprar, aunque sólo sea una vez. Pero el hombre o la mujer convertida tiene el ofrecimiento de la victoria sobre la tentación. "No os ha sobrevenido ninguna tentación que no sea humana; pero fiel es Dios, que no os dejará ser tentados más de lo que podéis resistir, sino que dará también juntamente con la tentación la salida, para que podáis soportar" (1 Corintios 10:13).

El ser tentado no es pecado, y como creyente en Jesucristo no tienes por qué culparte si aumentan las tentaciones que te rodean. El Espíritu Santo, que mora en nosotros, nos da la fuerza para resistir a la tentación.

La tentación es poderosa y lo será aún más después de que hayas nacido de nuevo. Las Escrituras nos dicen que tenemos una lucha espiritual y que nuestros enemigos tienen más poder y habilidad para tentarnos de lo que jamás habíamos encontrado. Aquí es donde muchos nuevos creyentes cometen un grave error. Creen que tan pronto como se convierten serán perfectos, y que vivirán continuamente en una situación de euforia. Luego se encuentran con la tentación, con el conflicto, y hasta algunas veces se dejan vencer por la tentación. El nuevo creyente se mira y no le gusta lo que ve; se siente desanimado y frustrado, pero eso es normal. El diablo te tienta y Dios te pone a prueba. Con frecuencia son los dos lados de la misma moneda: Dios permite que el diablo te tiente, y lo utiliza como una prueba o como una experiencia que te ayude a profundizar tu fe, y te permita ver lo frágil que eres si dependes de ti mismo. El quiere que dependas por entero de El.

Una antigua alegoría ilustra esto claramente: "Satanás convocó un concilio de todos sus siervos, para investigar la manera en que podrían hacer pecar a un buen hombre. Uno de los espíritus demoníacos se levantó y dijo: 'Yo le haré pecar'. '¿Cómo lo harás?' replicó Satanás. 'Le presentaré los placeres del pecado', fue la respuesta; 'le hablaré sobre sus deleites y las grandes recompensas que trae'. '¡Ah!', dijo Satanás: 'eso no le hará nada; él lo ha probado y como bien sabe, no lo hará'. Entonces otro demonio se levantó y dijo: 'Yo le haré pecar'. '¿Qué harás tú?' le preguntó Satanás. 'Le diré de las penas y de las tristezas de la virtud, que ésta no trae placer ni recompensa'. 'Eso menos', dijo el diablo, 'porque él lo ha probado y sabe que todos sus caminos son deleitosos y todas sus veredas paz' (Proverbios 3:17). 'Bien', dijo otro, 'yo me encargo de hacerle pecar'. '¿Y cómo?' preguntó nuevamente Satanás. 'Yo le desanimaré', fué su breve respuesta. 'Bien hecho, eso sí que lo hará', gritó Satanás, 'vamos a vencerle ahora' ".[1]

En el corazón de todo creyente hay conflictos. Si bien es cierto que el cristiano posee una nueva naturaleza, también lo es que la antigua naturaleza del pecado aún sigue presente. Nos toca a nosotros, día tras día, dejarnos llevar por la nueva naturaleza que domina Cristo.

Se cuenta de un ama de casa que encontró un ratón en su cocina y le dio con la escoba. El ratón no perdió el tiempo en contemplar al ama de casa ni a la escoba, sino que se dedicó a buscar de inmediato el agujero. Y lo mismo debemos hacer nosotros cuando nos vemos acosados por la tentación. No debemos detenernos a contemplar la tentación, sino que debemos buscar de inmediato la salida. La Biblia dice: "Dios. . . no os dejará ser tentados más de lo que podéis resistir, sino que dará también juntamente con la tentación la salida, para que podáis soportar" (1 Corintios 10:13).

Cuando el cristiano peca se siente abatido y a veces elude la compañía de otros cristianos, deja de ir a la iglesia o cree que nadie lo comprende. Sin embargo, todo cristiano puede llegarse a Dios mediante la oración y al confesar el pecado Dios lo restaura a la comunión con él. He ahí la diferencia entre el creyente y el no creyente. El no creyente hace del pecado un hábito, pero no así el creyente.

Permitidme una palabra acerca de cómo los creyentes deben tratar a un hermano "caído": Hace algunos años conocimos a un joven universitario recién convertido después de haber sido drogadicto. Poco después de su conversión hizo un acuerdo para actuar de soplón para un agente de narcóticos a fin de poder coger a los narcotraficantes de aquel sector. Sus amigos cristianos le advirtieron contra aquello, pero él ya había dado su palabra y sucedió lo inevitable. Su testimonio cristiano sufrió un revés cuando tuvo que pretender ser él mismo un drogadicto para poder convencer al vendedor de que era sincero, llegando en una ocasión hasta tener que inyectarse la droga dos veces. (Sucedió que la heroína tuvo un efecto completamente contrario al que había tenido antes de su conversión: en lugar de sentirse achispado, sintió violentos síntomas de retraimiento.) El domingo antes de dejar la universidad para regresar a su casa, se puso de pie ante la clase de la escuela dominical para contarles lo que había sucedido. El narcotraficante había sido detenido, y aunque este joven había echado a perder su testimonio cristiano, quería que los estudiantes supiesen que seguía siendo un creyente y seguidor del Señor. Se puso de pie ante la clase, con dos dedos juntos para explicar: "Yo y Jesús estamos así". Esto le dio al maestro la oportunidad de hablar a los estudiantes acerca de cómo debe ser tratado un hermano que evidentemente ha caído. Durante el tiempo en que trató de ayudar al agente de narcóticos, todos los cristianos de la universidad creían que se había descarriado y le volvieron la espalda. En realidad, cuando vemos a un hermano que cae (o uno que nos parece que ha caído) debemos, como el buen samaritano, bajarnos y ayudarle a que se levante y hacer todo lo posible por animarlo, orar por él, y hacerle saber que lo amamos y que creemos en él.

El creyente aborrece el pecado y desea guiarse por los mandamientos de Dios. Pablo dice que los creyentes no "andamos conforme a la carne, sino conforme al Espíritu" (Romanos 8:4). El Espíritu Santo, que mora en nosotros, nos convence de distintas maneras. El creyente empezará a darse cuenta de que los chistes groseros, que una vez formaban parte de su repertorio en la oficina, se le atragantan. Los cócteles que antes resultaban tan interesantes y divertidos se han vuelto aburridos e insulsos. Ruth y yo algunas veces hemos ido a cócteles en varias partes del mundo. Siempre nos hemos servido un refresco y hemos intentado ser testigos. El primer converso de la cruzada de Nueva York fue el resultado directo de que yo asistiera a un cóctel en un barco procedente del Japón a principios de los años 50. Ocasiones como ésta pueden ofrecer grandes oportunidades para el testimonio cristiano. Con frecuencia se ha reunido a nuestro alrededor un grupo de personas para hacer preguntas de índole espiritual. Jesús habló de este mismo modo a los publicanos y a los pecadores, y con un propósito claro. Por otra parte, el asistir a un cóctel para ser uno del grupo no sólo llega a ser a veces un aburrimiento, sino que acarrea consigo la dolorosa molestia de oír a alguien decir palabrotas y tomar el nombre del Señor en vano.

Cuando el nuevo creyente toma sus decisiones lo hace desde una nueva perspectiva. Puede dejarse arrastrar por el pecado (y sentirse pésimo por ello) o entregarse a Dios. El consejo de Pablo es excelente: "Así que, hermanos, os ruego por las misericordias de Dios, que presentéis vuestros cuerpos en sacrificio vivo, santo, agradable a Dios, que es vuestro culto racional. No os conforméis a este siglo, sino transformaos por medio de la renovación de vuestro entendimiento, para que comprobéis cuál sea la buena voluntad de Dios, agradable y perfecta" (Romanos 12:1, 2).

La transformación por "la renovación de vuestro entendimiento" puede suceder de manera rápida y dramática, como el drogadicto que experimenta un retraimiento inmediato, o puede penetrar en tu forma de vida de un modo gradual.

Creciendo gradualmente, casi de modo imperceptible, pero ir creciendo

Algunas personas llegan rápidamente a la madurez cristiana, otras lo hacen de manera más lenta, casi imperceptible. En cierta ocasión vi en la televisión una película sobre las flores, cómo crecían, germinaban y se abrían. Este efecto se lograba por medio de fotografías de movimiento acelerado [cadencias lentas] durante un largo período de tiempo. Si hubiésemos tenido que contemplar el mismo proceso con nuestros ojos, en nuestro jardín, hubiese llevado días. De la misma manera, vemos nuestras vidas día tras día y a menudo nos desanimamos por lo lento del crecimiento. Pero si esperas que pasen uno o dos años y luego miras atrás, te darás cuenta de lo mucho que has crecido. Te has convertido en una persona más amable, más bondadosa y más amorosa. Amas más las Escrituras y te gusta más orar. Eres un testigo más fiel y debes pensar que no alcanzarás nunca la madurez absoluta en Cristo hasta que lo veas cara a cara en el cielo.

Sean repentinos o graduales, los cambios en la persona convertida son parte de su crecimiento. La persona no nace de nuevo en un estado de madurez, sino que lo hace con las energías de la nueva vida que madurarán con el paso del tiempo. Este desarrollo es espiritual y moral. Es lo mismo que un bebé que aprende a gatear, luego los primeros pasos, finalmente anda y luego corre. Todo esto requiere tiempo, aprendizaje, paciencia y disciplina.

Uno puede tratar de imitar el crecimiento cristiano por medio de sus esfuerzos religiosos, pero el resultado será como un modelo en yeso del *David* de Miguel Angel; es una burda imitación y se rompe fácilmente.

El cristiano crece según la vida de Dios ejerce su nuevo poder desde lo profundo del centro de su personalidad. La persona inconversa no puede duplicar esa vida, por muy religioso que intente mostrarse. Le faltan las fuentes del crecimiento ya que no ha nacido de nuevo.

En cierta ocasión un grupo de estudiantes de la universidad de Harvard trataron de engañar al famoso catedrático de zoología Agassiz. Tomaron diferentes partes de una serie de insectos y con mucho arte las unieron entre sí para formar una creación que estaban seguros habría de dejar perplejo a su profesor. En el día determinado se lo trajeron y le pidieron que lo identificase. Mientras el catedrático lo estudiaba detenidamente, los estudiantes se sintieron más y más seguros de que habían logrado engañar al genio.

Finalmente el profesor Agassiz se enderezó y dijo: "Lo he identificado". Apenas pudieron controlar su diversión y le preguntaron su nombre. Agassiz respondió: "Es una patraña".

La persona que posee la vida auténtica que viene de Dios podrá descubrir lo que es falso, y sabrá que es una patraña. El recién convertido es un niño en Cristo. Para que crezca es preciso alimentar al niño y debe ser protegido porque ha nacido en un mundo de muchos enemigos. Su batalla principal la tendrá contra "el mundo", "la carne" y "el diablo". Por eso necesita que su familia le infunda confianza, y lo mismo los amigos y, de un modo especial, la iglesia. En el momento de su nacimiento el hijo de Dios nace a grandes riquezas y su herencia es maravillosa, pero requiere algún tiempo averiguar que posee toda esta riqueza.

La cosa más importante al comienzo de la vida es alimentarse y fortalecerse. He aquí algunos de los alimentos a utilizar:

Consigue una Biblia

Si tienes una Biblia, estupendo. Pero si las Escrituras son un nuevo mundo para ti, te aconsejaría que comprases una de las más recientes traducciones que te resultará mucho más facil de comprender. Es importante que empieces a leer el Nuevo Testamento, y el Evangelio de Juan es un buen lugar por donde empezar.

Procura embeber la Palabra de Dios y no te preocupes por entender todo lo que lees, porque no todo lo entenderás. Ora antes de leer y pídele al Espíritu Santo que te ayude a ver claro lo que lees. Las Escrituras son la mayor fuente de esperanza que encontrarás en este mundo sin esperanza. "Porque las cosas que se escribieron antes, para nuestra enseñanza se escribieron, a fin de que por la paciencia y la consolación de las Escrituras, tengamos esperanza" (Romanos 15:4).

Memoriza porciones de la Palabra de Dios. "En mi corazón he guardado tus dichos, para no pecar contra ti" (Salmo 119:11). Trata de tomar un versículo de la Biblia que satisfaga tu necesidad y escribirlo a máquina en una tarjeta de archivo. Póntelo en el bolsillo o en el bolso y léelo con frecuencia. Repásalo todos los días y al final de la semana lo habrás memorizado.

Satanás siempre está dispuesto a desanimarte porque no quiere que leas la Biblia ni que memorices las Escrituras. Puede que en el pasado Satanás no se metiese contigo, pero ahora has hecho algo que lo pone furioso: has dejado su lado para unirte al ejército de Dios. Eres un soldado cristiano y Satanás utilizará todas sus armas secretas. Desde este momento en adelante es como ir río arriba, en contra de la corriente de los males de este mundo.

Pero tú puedes vencer sus ataques con el arma que Dios ha puesto a tu disposición: "la espada del Espíritu, que es la palabra de Dios" (Efesios 6:17). No sólo es la Palabra de Dios una espada que puedes utilizar para atacar, sino que también tienes un escudo que puedes utilizar para defenderte. Tienes "el escudo de la fe, con que podáis apagar todos los dardos de fuego del maligno" (Efesios 6:16).

Cuando Cristo se hallaba en el desierto, Satanás lo tentó,

pero cada vez Cristo rebatió la tentación con las Escrituras, diciendo: "Escrito está" (Mateo 4).

Cristo necesitó esta poderosa arma y también nosotros la necesitamos.

Aprende a orar

Se han escrito libros completos acerca de la oración y se han realizado seminarios para estudiarla y se han predicado cientos de sermones sobre el poder de la oración. El nuevo creyente muchas veces se siente confundido por el qué y cómo orar.

Jesús dijo: "Es necesario orar siempre" (Lucas 18:1, RV). El apóstol Pablo dijo: "Orad sin cesar" (1 Tesalonicenses 5:17).

La oración no tiene por qué ser elocuente ni estar hecha con el lenguaje y los términos del teólogo. Cuando decidiste aceptar a Cristo, te fue concedido el privilegio de dirigirte a Dios como a tu Padre. Tú le hablas a Dios como el niño que le habla a su padre amoroso y bondadoso. Puede que al principio no te resulte muy fácil, pero es importante empezar. Mi esposa tiene un cuaderno de nuestros hijos, que conserva de cuando éstos comenzaron a hablarnos. Ella guarda como un tesoro estos primeros balbuceos, con sus equivocaciones y todo. Dice ella: "No aceptaría ninguna cosa a cambio de ese cuaderno".

Cuando el apóstol Pablo dijo que debemos orar sin "cesar", utilizó un término que en esos días describía una tos persistente. Una y otra vez, a lo largo de nuestro día, debiéramos volvernos rápidamente a Dios para adorarle y darle gracias, y para pedirle su ayuda. Las oraciones deben ser concretas. Dios está interesado en todo lo que hacemos, y nada es demasiado grande ni demasiado insignificante para que lo compartas con El.

Busca la comunión cristiana

Dios no quiere que vivas la vida cristiana solo. Por eso El ha juntado a otros cristianos para que formen comunidades. Lo primero que el hombre o la mujer que ha nacido de nuevo debe buscar, es una iglesia donde se enseñe la Biblia. Yo no digo que cualquier iglesia sirva. ¿Enseña el pastor la Palabra de Dios, o se dedica a presentar su propia filosofía de la vida o la de cualquier otro? Tú lo sabrás. ¿Tiene la iglesia clases bíblicas para todas las edades?

Sin la comunión de los creyentes, el cristiano recién convertido acaba por apagarse. El escritor del libro de los Hebreos dice: "Considerémonos unos a otros para estimularnos al amor y a las buenas obras; no dejando de congregarnos, como algunos tienen por costumbre, sino exhortándonos" (Hebreos 10:24, 25).

Tal vez haya en tu comunidad una clase bíblica o un grupo de oración. Es emocionante encontrar un nuevo grupo de amigos, de personas que se encuentran en las diversas etapas de su propio crecimiento y desarrollo cristiano, para compartir con ellos tu fe y fortalecerla.

Una de mis hijas vive en un vecindario perteneciente a la alta clase media, y algunos de los dirigentes sociales de la ciudad son vecinos de ella. Después de orar intensamente, se decidió a ir a las casas de sus vecinas y preguntarles si les gustaría tener un estudio bíblico. Llamó a la puerta de una casa tras otra y en casi todos los casos las mujeres no sólo decían que "sí", sino que algunas de ellas se echaban a llorar, diciendo: "He estado esperando que alguien me invitase a una clase bíblica para poder aprender la Biblia". En la actualidad mi hija está enseñando en una clase bíblica semanal de trescientas mujeres, con muchas en la lista de espera para asistir. Si en tu comunidad no hay una clase bíblica, tal vez puedas empezar una. Te encontrarás conque tus vecinos tienen "más hambre" y están "más sedientos" de lo que te imaginabas. Sólo esperan que alguien tome la iniciativa. Al principio puede que sólo se reúnan dos o tres personas, lean un pasaje de la Biblia, lo discutan, y oren mientras toman una taza de café. Hay cientos de miles de clases bíblicas como éstas, que están surgiendo por todo el mundo en los hogares, en las oficinas y en los equipos profesionales de fútbol. Hasta los jugadores profesionales de golf, que van de gira, tienen una clase bíblica semanal que atrae de diez a cincuenta jugadores y a sus esposas.

Tú ya no estás solo. La paternidad de Dios forma la auténtica hermandad del hombre, un ideal que los filósofos y los moralistas han buscado desde el principio de los tiempos. Esta hermandad elimina las barreras culturales, raciales y lingüísticas. Uno de los mayores gozos que experimenta el cristiano es encontrarse con otro cristiano en los lugares más inesperados. La camarera en el restaurante encuentra un vínculo común con su cliente; el pasajero que va en avión descubre que la azafata es una creyente. Cuando te encuentras en otro país te sientes inmediatamente como en tu propia casa al encontrarte con otro cristiano, sin que sean precisas largas presentaciones. Se comparte el mayor vínculo en la tierra. No hay nada en el mundo que se le pueda comparar.

Al principio de este libro dije que yo creía que el tema más importante del mundo entero era el del nuevo nacimiento. Es el acontecimiento más importante que le puede suceder a cualquier hombre, mujer o niño.

Sólo cuando nazcas de nuevo podrás experimentar todas las riquezas que Dios te tiene reservadas; no eres ya sencillamente una persona corriente, ¡eres una persona VIVA!

Notas

Prefacio

1. *Time,* 27 de septiembre de 1976, p. 86.
2. *Los Angeles Times*, 23 de septiembre de 1976, pp. 3, 30.
3. Corrie ten Boom *In My Father's House* (Old Tappan, N. J.: Fleming Revell Publishing Co., 1976), p. 24.

Capítulo 1

1. Charles Colson, *Nací de nuevo* (Miami: Ed. Caribe, 1977), p. 110.
2. Bertrand Russell, *Power: A New Social Analysis* (Nueva York: Norton, 1938), p. 11.
3. H. R. Rookmaaker, *Modern Art and the Death of a Culture* (Londres: Inter-Varsity Press, 1970), p. 196.
4. *Ibid*. p. 202.
5. Os Guinness, *Dust of Death* (Downers Grove, Ill.: Inter-Varsity Press, 1973), p. 233.
6. Hal Lindsey, *La generación final* (Barcelona: Portavoz Evangelico, 1976).
7. Rookmaaker, *Modern Art*, p. 223.
8. Guinness, *Dust of Death*, p. 392.

Capítulo 3

1. Josh McDowell, *Evidencia que exige un veredicto* (Cruzada Estudiantil y Profesional para Cristo, 1972).

Capítulo 4

1. Sir James Frazer, *The Golden Bough* (Nueva York: Macmillan Co., 1960), p. 194.
2. *Ibid*. p. 196.
3. Walter Kaufmann, *Critique of Religion and Philosophy* (Nueva York: Harper and Row, 1958), p. 74.
4. *Ibid*. p. 88.
5. Tw. W. Doane, *Bible Myths* (Nueva York: University Books, 1971), p. 252.
6. *Time*, 30 de diciembre de 1974, p. 38.
7. *Ibid*. p. 40.

Capítulo 5

1. *Time*, 30 de junio de 1975, p. 10.
2. *Time*, 2 de febrero de 1976, p. 62.
3. William Barclay, *Letters to Timothy* (Philadelphia: Westminster Press, 1960), p. 44.

Capítulo 6

1. *Time*, 7 de febrero de 1977, p. 37.

Capítulo 7

1. Josh McDowell, *Evidencia que exige un veredicto* (Cruzada Estudiantil, 1972).
2. Harry Rimmer, *The Magnificence of Jesus* (Grand Rapids, Mich.: Wm. B. Eerdmans Publishing Co., 1943) p. 112.
3. C. S. Lewis, *Surprised by Joy* (Nueva York: Harcourt, Brace & World, 1955), pp. 228 ss.

Capítulo 9

1. Nicolaus von Zinzendorf, 1739, tr. John Wesley, 1940.
2. *Saturday Evening Post*, 1 de septiembre de 1951, p. 19.

3. De *The Anna Russell Song Book*. Reproducido con permiso de Citadel Press, Division of Lyle Stuart, Inc., 120 Enterprise Ave., Secaucus, N. J. 07094.

Capítulo 10

1. Josh McDowell, *Evidencia que exige un veredicto* (Cruzada Estudiantil para Cristo, 1972).
2. *Ibid*. p. 233.

Capítulo 11

1. *Time*, 13 de diciembre de 1976, p. 93.
2. *Ibid*. E-3, p. 94.
3. Thomas Harris, *I'm OK–You're OK* (Nueva York: Harper & Row, 1967), p. 229.
4. Sergiu Grossu, *The Church in Today's Catacombs* (New Rochelle, N. Y.: Arlington House Publishers, 1975), p. 43.
5. Sheila Ostrander y Lynn Schroeder, *Psychic Discoveries Behind the Iron Curtain* (Englewood Cliffs, N. J.: Prentice-Hall 1960), pp. 151 ss.
6. John Hunter, *Impact* (Glendale, Calif.: Regal Books, 1966), pp. 45, 46.
7. Oswald Chambers, *My Utmost for His Highest* (Nueva York: Dodd Mead & Company, 1946), p. 10.

Capítulo 12

1. Hannah Whitall Smith, *El secreto de la vida cristiana feliz* (Kansas City, Mo.: Casa Nazarena de Publicación, 1951), pp. 67, 68.
2. Francis A. Schaeffer, *El está presente y no está callado* (Miami: Logoi, 1974), p. 28.
3. J. I. Packer, *Knowing God* (Downers Grove, Ill.: Inter-Varsity Press, 1973), p. 35.

Capítulo 13

1. Hannah Whitall Smith, *El secreto de la vida cristiana feliz,* pp. 103, 104.

Abreviaturas de versiones de la Biblia

BJ	Biblia de Jerusalén
LA	Versión Latinoamericana (NT)
NTV	Nuevo Testamento Viviente ("Lo más importante es el amor")
VP	Versión Popular ("Dios llega al hombre")